Maurício Zágari é um teólogo da atu<!-- -->dade e equilíbrio argumentos que enfocam os dramas cotidianos sem, todavia, se omitir do evangelho prático. Seus artigos e colocações me enriquecem muito e me sinto honrada ao endossar um trabalho que, acredito, irá ao encontro de uma questão que tem adoecido muita gente.

ALDA FERNANDES
Psicóloga, escritora, preletora e *coach*

O sofrimento causado dentro da igreja e pela igreja é encarado aqui com profunda honestidade e gentileza. Diagnosticando sintomas e causas com precisão, oferecendo o necessário enquadramento bíblico e teológico e descortinando a cura pelo perdão com clareza, Zágari se torna referência indispensável para a formação espiritual e a educação cristã dos sentimentos morais. Não apenas leia este livro: dê de presente e convença seus pastores e líderes a adotá-lo no ministério!

GUILHERME DE CARVALHO
Pastor da Igreja Esperança, em Belo Horizonte (MG), diretor de L'Abri Fellowship Brasil e diretor de conteúdo do projeto Cristãos na Ciência

Ler um livro quando se conhece o autor tem muito mais significado. Por isso me encantei ao ler *Perdão total na Igreja*, pois mostra a coerência do autor. A leitura me confrontou, me fez refletir e me levou a tomar providencias para não ferir meu rebanho. Todo pastor que quer refletir Jesus para sua igreja e toda liderança de igreja que quer ser saudável não pode deixar de ler este livro.

LISÂNIAS MOURA
Escritor e pastor da Igreja Batista do Morumbi, em São Paulo (SP)

O perdão é desafio contínuo do evangelho ensinado por Jesus. O perdão tem a amplitude e a profundidade do amor de Deus. O perdão está entranhado e enraizado na essência e no coração de Deus. Perdoar é caminho difícil na prática do amor incondicional, mas é caminho possível na capacitação e graça do Pai. Grato por nos lembrar, Maurício.

NELSON BOMILCAR
Pastor, teólogo, músico, compositor, escritor

Fui grandemente impactado pela leitura desta obra mais que necessária, e tenho certeza de que você também será! Não são poucos os brasileiros que têm histórias de feridas geradas em nossas comunidades de fé. Maurício Zágari discerniu uma necessidade da Igreja de Jesus no Brasil e, com a habilidade que Deus lhe deu, nos presenteia com um livro que abençoará muitas vidas.

Pedro Dulci
Pastor da Igreja Presbiteriana Bereia, em Goiânia (GO), filósofo, teólogo, professor, capelão e escritor

Igreja é lugar de encontros e desencontros, de possibilidades de feridas profundas e oportunidades de bálsamos renovadores. Maurício Zágari certamente já experimentou o doce e o amargo da convivência cristã. E sobreviveu, assim como todos os agraciados pelo perdão, essa dádiva divina que nos dá o que precisamos e não o que merecemos.

Robinson Grangeiro Monteiro
Pastor da Igreja Presbiteriana de Tambaú
e diretor do Instituto Kuyper, em João Pessoa (PB)

PERDÃO TOTAL NA IGREJA

Um livro para quem foi ferido por quem deveria acolher

—

MAURÍCIO ZÁGARI

Copyright © 2019 por Maurício Zágari
Publicado por Editora Mundo Cristão

Os textos das referências bíblicas foram extraídos da *Nova Versão Transformadora* (NVT), da Editora Mundo Cristão (usado com permissão da Tyndale House Publishers), salvo indicação específica. Eventuais destaques nos textos bíblicos e citações em geral referem-se a grifos do autor.

Todos os direitos reservados e protegidos pela Lei 9.610, de 19/02/1998.

É expressamente proibida a reprodução total ou parcial deste livro, por quaisquer meios (eletrônicos, mecânicos, fotográficos, gravação e outros), sem prévia autorização, por escrito, da editora.

Edição
Daniel Faria

Revisão
Natália Custódio

Produção
Felipe Marques

Colaboração
Ana Paz

Diagramação
Luciana Di Iorio

CIP-Brasil. Catalogação na publicação
Sindicato Nacional dos Editores de Livros, RJ

Z23p

Zágari, Maurício

Perdão total na igreja : um livro para quem foi ferido por quem deveria acolher / Maurício Zágari. - 1. ed. - São Paulo : Mundo Cristão, 2019.

240 p.

ISBN 978-85-433-0490-8

1. Perdão - Aspectos religiosos. 2. Vida cristã. 3. Comunidades cristãs. I. Título.

19-60850
CDD: 234.5
CDU: 2-185.36

Categoria: Igreja
1ª edição: abril de 2019
1ª edição (nova capa): novembro de 2019

Publicado no Brasil com todos os direitos reservados por:
Editora Mundo Cristão
Rua Antônio Carlos Tacconi, 69
São Paulo, SP, Brasil
CEP 04810-020
Telefone: (11) 2127-4147
www.mundocristao.com.br

A todos que me machucaram na igreja e a quem eu perdoei, e a todos a quem eu machuquei na igreja e que me perdoaram. Quanto mais o perdão faz sentido, mais os machucados tornam-se sem sentido.

Sumário

Agradecimentos — 11
Prefácio — 13
Uma palavra inicial — 15

Parte 1 — Machucados

1. Egolatria — 32
2. Prioridades invertidas — 44
3. Deslealdade — 53
4. Falsos ensinamentos — 62
5. Falta de amor — 70

Parte 2 — Verdades

6. O grande culpado — 82
7. Examine a si mesmo — 90
8. Expectativas irreais — 96
9. O problema sempre existiu — 109
10. Da amargura e da ira para a bondade e a compaixão — 123
11. Soluções que não solucionam — 130

Parte 3 — Curados

12. Perdão total: a cura — 154
13. Perdoar exige fé e esforço — 166
14. O grande segredo para conseguir perdoar — 175
15. Perdoar e ser perdoado — 188
16. Perdão aconteceu — 201

Ore comigo — 221
Notas — 225
Referências bibliográficas — 231
Sobre o autor — 235

Agradecimentos

Aos mais de cinquenta irmãos e irmãs em Cristo machucados na igreja ou pela igreja que, pessoalmente, por telefone ou via Internet, aceitaram conceder as entrevistas que forneceram a base para que eu pudesse mergulhar fundo no entendimento do problema tratado neste livro. Embora vocês permaneçam anônimos aos leitores, carrego comigo o nome e as dores de cada um, na esperança de que suas histórias ajudem todo aquele que vier a ler esta obra.

A Alda Fernandes, Gerson Borges, Guilherme de Carvalho, Idauro Campos, Lisânias Moura, Marco Antonio de Araujo, Nelson Bomilcar, Osmar Ludovico e Ziel Machado, irmãos queridos que investiram seu precioso tempo em oferecer relatos que enriqueceram indizivelmente este livro.

A todos os talentosos e dedicados amigos que, juntos, formam a editora Mundo Cristão, por persistirem na ideia de que posso escrever o que serve de canal para a transformação de vidas e a glorificação de Deus. Cada um de vocês é extremamente precioso em minha caminhada como escritor. A Mark, Renato, Ricardo, Silvia, Daniel, Natália, Marcelo e todos os demais irmãos e irmãs que trabalham diariamente para produzir literatura que Deus usa para seus propósitos, meu muito obrigado.

Aos pastores Cláudio Tupinambá, o cara mais piedoso que eu conheço, e Marcelo Vidal, meu sogro, irmão e amigo, por lerem os originais desta obra e contribuírem com sugestões, críticas e palavras de incentivo.

A Deus, por me perdoar diariamente e por usar meus erros para me fazer amadurecer cada vez mais na fé.

A você, leitor, a razão de este livro existir.

Prefácio

Cresci em um lar evangélico. Meu pai foi pastor e minha mãe, uma líder do tipo esposa "faz tudo" do pastor da igreja. Conversar sobre a igreja era atividade permanente em nosso lar. Cada vez que nos reuníamos em família, algum tema relacionado aos problemas da vida eclesiástica aparecia em nossas conversas. Não foram poucas as vezes que ouvi minha mãe dizer, em forma de lamento: "Viver com os irmãos no céu, oh, que glória! Com os irmãos na terra, é outra história!". Dura realidade. Não é necessário participar durante muitos anos de uma comunidade cristã para descobrir que, quando nos reunimos como igreja, não o fazemos como se fôssemos anjos. A história é bem diferente. Nossa humanidade pecadora sempre encontra caminhos novos para se manifestar, definindo o tom de nossas relações e comprometendo nossos ideais de comunhão cristã.

Muitas vezes, nossa expectativa com relação à vida da igreja é marcada por um idealismo pouco razoável, por uma tentativa de negar nossa humanidade, por um desejo que desconsidera nossa natureza pecaminosa e suas previsíveis manifestações nos relacionamentos. O fato é que quem chama Deus de Pai não pode escolher seus irmãos. Nossos irmãos e irmãs nos foram dados por adoção, assim como nós fomos dados a eles e elas. Conhecer o outro e ser conhecido pelo outro nos põe diante da realidade de que há luzes e sombras em todos nós, áreas de nossa vida com as quais pode ser bem difícil de lidar.

O dr. James Houston, em sala de aula, nos advertia: "Não existe comunhão entre personagens. Comunhão verdadeira só é possível entre pessoas verdadeiras, e essa transformação de personagens em pessoas é tarefa do Espírito Santo de Deus. Ele nos livra de nossas máscaras, permitindo que se estabeleça uma relação profunda entre os membros do corpo de Cristo". Isso explica, em parte, a notória superficialidade de tantos de nossos relacionamentos, o que acaba por criar a contraditória situação em que nos sentimos sozinhos no meio da multidão. Precisamos refletir mais sobre a ligação entre nossa confissão de fé trinitária e nossa vida como comunidade cristã.

A decisão de tomar nossa humanidade a sério nos impõe reconhecer a realidade da dor, do conflito, do pecado. Como cristãos, porém, cremos que o amor é também uma força histórica. Mais que uma força histórica, o amor é a realidade total que vence e vencerá na história. E não se trata de uma manifestação de amor qualquer, mas do justo amor manifestado na vida, nos ensinos, na obra, na morte e na ressurreição de Jesus Cristo. Uma expressão especial desse amor de Deus nós encontramos no perdão. O perdão torna as relações humanas possíveis. A exemplo da função que a graxa cumpre na lubrificação das engrenagens, o perdão possibilita que tenhamos êxito ao nos relacionarmos uns com os outros. Sem a dinâmica do perdão, a vida seria impossível, não apenas em relação às pessoas, mas também em relação a nós mesmos.

A boa-nova do perdão não implica dizer que se trata de um caminho fácil e indolor, mas sim que, embora custoso, é o melhor caminho para enfrentar nossas limitações e suas muitas consequências. A dinâmica do perdão tem a capacidade de humanizar a todos aqueles que, envolvidos no processo de restauração, se dispõem a viver essa experiência de maneira séria e verdadeira.

Um dos sinais desse resgate de nossa humanidade encontra-se no modo como lidamos com a debilidade do próximo. A fragilidade do outro não é um *playground* para minha prepotência, não é um lugar para ostentar minhas "fortalezas". A fragilidade do outro é meu espaço de cuidado, de ministério, de ação redentiva, um lugar que demanda ação reverente, onde sou desafiado a servir de suporte para que o outro possa superar suas debilidades. A fragilidade do outro é meu campo missionário, onde tenho plena consciência de que estou lidando com um ser que é feito à imagem e semelhança de Deus e, por isso, merece todo o respeito.

Foi exatamente por tamanho respeito e sensibilidade com a dor do próximo que este livro, do meu querido amigo Maurício Zágari, ganhou minha atenção. A maneira cuidadosa com que o autor aborda nossas feridas, o jeito esperançoso com que nos toma pela mão e nos faz transitar em meio a tantas experiências dolorosas, levando-nos por um caminho de restauração sem saltos, sem ritos mágicos, fazem deste livro uma obra oportuna e necessária. Um recurso pastoral fundamental para este tempo em que as dores dos conflitos se ampliaram e ganharam novas facetas.

Em *Perdão total na Igreja*, Maurício reconhece nossa profunda humanidade e toma a sério cada experiência, sem perder de vista as possibilidades que o evangelho de Jesus Cristo nos oferece para lidarmos com as limitações do outro e também com as nossas próprias. Ele reconhece a realidade da dor, mas afirma a validade e o poder do amor que encontramos, de forma singular, em Jesus Cristo.

Minha experiência pastoral me fez descobrir que pastorear é, entre outras coisas, habitar na dor alheia, e essas dores são inúmeras. Neste livro encontrei muitos recursos da graça de Deus que me auxiliam a processar essa dura realidade conflitiva, que anseia por restauração. O caminho, como proposto aqui, é o do perdão.

Sou imensamente agradecido a Deus pela decisão que Maurício tomou de se debruçar sobre a realidade de dor de forma tão empática, generosa, esperançosa — em suma, de forma bíblica. Peço a Deus que cada leitor e leitora possa se identificar, se edificar, se inspirar com esta obra. Que o consolo do Santo Espírito os alcance por meio destas palavras, assim como alcançou o apóstolo Paulo na Macedônia por meio da visita de Tito (2Co 7.5-6).

Desejo uma boa, edificante e restauradora leitura a todos vocês.

ZIEL MACHADO
Vice-reitor do Seminário Servo de Cristo e pastor da
Igreja Metodista Livre Nikkei, em São Paulo (SP)

Uma palavra inicial

Wagner foi abandonado pelo pastor quando mais precisava de seu apoio. Carla foi pressionada pelos membros da igreja a prosseguir em um namoro que não desejava. Paula sofreu perseguição de uma líder de departamento. Felipe e Soraia foram discriminados e segregados na igreja por serem divorciados. Pastor Thales foi acusado injustamente por membros da congregação de ter roubado dinheiro da igreja. Zilda foi difamada pela esposa de seu pastor. Valéria recebeu indiretas de pregadores no púlpito por problemas pessoais em seu casamento. Pastor Henrique foi perseguido pela igreja, que não aceitava mudanças. Luís foi vítima de um pastor que só defendeu os interesses da própria família. Carlos sofreu assédio moral de um pastor autoritário e legalista. Nádia teve de lidar com uma igreja que se preocupava mais com resultados do que com pessoas. Pastor Penido foi alvo de perseguições de colegas de ministério. Jarbas sofreu calote financeiro de irmãos da igreja. Pastor Leandro foi prejudicado por uma articulação do próprio líder. Denise e seu marido sofreram boicote em seu trabalho missionário pelo novo pastor da congregação... E por aí vai.

Quantas pessoas feridas...

Quantas histórias tristes...

Quantos atos questionáveis cometidos por gente que deveria amar o próximo como a si mesma...

Quanta dor sinto no coração por ver tantas pessoas emocional e espiritualmente machucadas.

Infelizmente, histórias como essas não são casos isolados. Pelo contrário, elas se multiplicam a cada dia no ambiente eclesiástico. O que todas essas pessoas possuem em comum é o fato de terem sido feridas na igreja — por pastores, colegas de ministério, líderes de denominações, líderes de departamentos ou irmãos e irmãs membros da mesma congregação.

As razões desses machucados, como se pode ver, são bastante variadas: vão de questões particulares a assuntos doutrinários, passando por exposição de pecados relatados em confiança, traições, discriminação e preconceito, além de interesses pessoais escusos, nepotismo, autoritarismo, ganância, vaidade ou arrogância. É interminável a lista de motivos que levam alguém a ser ferido justamente no ambiente em que deveria ser preservado e tratado de suas feridas com amor fraterno.

O resultado dessa realidade é que cresce a quantidade de pessoas que "entraram com lágrimas de alegria pela porta da frente das igrejas e que desaparecem pela porta dos fundos com lágrimas de decepção".[1] São indivíduos que se afastam da igreja, seja a instituição visível (a denominação, o templo, a congregação com placa na porta), seja o grupo de salvos que forma o corpo místico de Cristo (a Igreja invisível). Essas pessoas permanecem como membros de igrejas, mas com traumas profundos e machucados dolorosos na alma, ou acabam se tornando aquilo que se convencionou chamar de "desviados" ou "desigrejados".

Também não é raro encontrar pastores feridos. São servos de Deus fieis e piedosos, indivíduos vocacionados para o pastoreio do rebanho de Cristo, que se entregaram de corpo e alma ao ministério mas sofreram com problemas como autoritarismo, exigências abusivas ou indiferença da parte de suas lideranças; viram-se alvo de traições de colegas de ministério; sofreram pressões e ataques de membros de conselhos e presbitérios; receberam acusações injustificadas ou maldosas; entre outros tipos de sofrimento. Com isso, muitos jogaram a toalha e se afastaram do ministério. Outros permaneceram, mas, com o coração rasgado, tornaram-se depressivos, solitários, espiritualmente frios ou meros cumpridores de liturgias e obrigações.

Em casos extremos, há pastores que tiram a própria vida, problema cada dia mais visível no Brasil e em outros países, e que funciona como um grito de alerta para o mal da depressão entre líderes cristãos — frequentemente associado a machucados e pressões do ministério. Segundo o psicólogo, teólogo e mestre em aconselhamento pastoral Marcos Quaresma, missionário da Sepal, a causa mais comum noticiada para o suicídio de pastores e líderes é a depressão associada a diversos problemas, como traições ministeriais. O mal tem crescido tanto que vem sendo chamado de "epidemia silenciosa de suicídios entre pastores".[2]

Seja com pastores, seja com membros de igrejas, o que entristece e preocupa é que não estamos falando de um fenômeno meramente estatístico. Nada disso. São *vidas humanas*. Indivíduos com nome e sobrenome, gente com sentimentos, pessoas por quem Jesus deu seu sangue e que acabam tendo a alma transpassada por quem deveria amar o próximo de acordo com as boas-novas de Cristo.

Em suma, são filhos e filhas de Deus cuja vida não tem preço. Não é um problema qualquer.

É grave.
E é urgente.

...

Todos os casos que relatei no parágrafo inicial deste texto são verídicos. Tomei conhecimento das histórias que compartilho neste livro por meio do corajoso desabafo de mais de cinquenta pessoas que entrevistei pessoalmente, por telefone ou por Internet, ou que gentilmente atenderam ao meu pedido de enviar seu depoimento por escrito, por *e-mail* ou por meio de meu *blog*. Algumas delas eram pessoas próximas a mim que eu nem desconfiava já terem sido tão profundamente machucadas — prova de que as feridas sofridas na igreja muitas vezes são silenciosas e sangram em locais da alma inacessíveis aos olhos dos que estão ao redor. Meu contato com todos esses casos permitiu-me ver a falibilidade humana muito de perto, mas — que alento! — também me levou a testemunhar a extraordinária graça de Deus em ação no processo de cura dos feridos.

Busquei diversidade entre os entrevistados. Conversei com homens e mulheres de diferentes idades, classes sociais, estados civis, regiões do Brasil, denominações religiosas e linhas doutrinárias. Isso foi necessário porque ficou claro durante a fase de entrevistas que não existe perfil para ser machucado no ambiente eclesiástico: a vítima pode ser gente de todo tipo, em qualquer patamar da hierarquia eclesiástica, em igrejas dos mais variados perfis teológicos. Em comum, o fato de que todos com quem falei terem sido feridos na igreja ou pela igreja, sejam membros, sejam pastores e líderes, e que, em consequência desse ferimento:

1. Afastaram-se da Igreja e se distanciaram das doutrinas e práticas cristãs. Costumam ser chamados de "desviados"; ou

2. Afastaram-se da igreja institucional e buscam reunir-se em pequenos grupos domésticos ou viver sua espiritualidade sozinhos, porém, mantêm a confissão dogmática, aceitam a necessidade do batismo e da ceia do Senhor, reconhecem a importância de uma vida piedosa e obediente aos mandamentos divinos. Costumam ser chamados de "desigrejados", mas rejeitam veementemente esse termo, por considerarem que o fato de não congregarem em uma igreja institucional não faz deles menos participantes da Igreja, o corpo místico de Jesus, o conjunto de todos os salvos. Ainda assim, apenas para usarmos um termo compreensível por todos, adoto neste livro essa terminologia, entendendo que se refere a uma desconexão desses irmãos e irmãs da igreja institucional. E, por respeito a quem discorda dessa expressão, uso-a sempre entre aspas; ou

3. Optaram por permanecer congregando em uma igreja local (a mesma onde foram feridos ou outra), porém carregando profundos machucados e até mesmo traumas severos na alma; ou

4. Abandonaram o ministério, caso fossem pastores; ou

5. Prosseguiram com o ministério, caso fossem pastores, em outra igreja ou na mesma, carregando profundas e dolorosas marcas na alma.

Entre os "desigrejados", excluí da minha análise os que optaram por se afastar das igrejas organizadas exclusivamente por discordar de seu *modus operandi* e por criticar a institucionalização da igreja. Esses cristãos rejeitam, por exemplo, a reunião em templos, a existência de ministros ordenados, a elaboração de confissões de fé, a entrega do dízimo e a prática dos sermões. Como meu foco neste livro são somente pessoas *machucadas* na igreja, não desejo investir muito tempo em analisar esse grupo, uma vez que, como explica o pastor e teólogo Idauro Campos em seu livro *Desigrejados*, os discordantes da institucionalização e de práticas eclesiásticas "não possuem histórico de sofrimento". Isso significa que não necessariamente os irmãos e as irmãs "desigrejados" foram feridos, mas se afastaram da igreja institucional, na realidade, por discordar intelectualmente dos modelos tradicionais de igreja.[3]

Há, porém, aqueles que se "desigrejaram" em consequência, sim, de feridas colecionadas na convivência com a igreja institucional, como explica o pastor e músico Nelson Bomilcar em *Os sem-igreja*, livro em que ele trata, com muita sensibilidade, do tema dos "desigrejados": "Seja qual for o caso, são pessoas quase sempre envolvidas em histórias de dor, desencanto e amargura que, infelizmente, na maioria das vezes não são curadas ou tratadas durante a jornada".[4] Essa é justamente a lacuna que tenho o desafio de tentar preencher com *Perdão total na Igreja*, oferecendo o que entendo serem informações bíblicas para a cura desses irmãos machucados.

Segundo o censo brasileiro de 2010, o grupo "evangélicos sem vínculo denominacional" foi o maior responsável pelo crescimento da população evangélica brasileira e representa cerca de 22% do total.[5] Nos Estados Unidos, levantamento realizado pelo instituto de pesquisas Barna revela que quatro em cada dez adultos "desigrejados" (37%) evitam a igreja devido a experiências negativas vividas na comunidade de fé ou com cristãos. Isso equivale a 25 a 30 milhões de americanos, um número assombroso.[6] Atualmente, 61% dos americanos que frequentaram uma igreja na adolescência e juventude as abandonam quando chegam à casa dos vinte anos. Alguns retornam quando têm filhos ou quando conseguem se curar das feridas. Milhões deles, porém, jamais retornam — e esse grupo está crescendo.[7]

Porém, jamais devemos olhar para as pessoas feridas na igreja como meras estatísticas. Até que se prove o contrário, são nossos irmãos e irmãs. São nossa família. Membros do mesmo corpo que você e eu. Indivíduos de valor incalculável, a quem devemos amar. "Muita gente só lida com os sem-igreja com o dedo em riste ou de forma fria e analítica. Isso não resolve nada", afirma Nelson Bomilcar.

Concordo com Nelson. Por mais que seja importante compreender o fenômeno, restringir-se a análises frias ou colocar-se em oposição feroz, condenatória e confrontadora somente nos afasta uns dos outros. Já eu desejo nos aproximar. O meio para isso?

Amor. Amizade. Graça. Perdão.

• • •

Alterei o nome de todas as pessoas feridas na igreja cujas histórias são mencionadas neste livro, sob promessa de sigilo, exceto quando indicado o sobrenome do entrevistado. Fiz pequenas modificações propositais nas informações pessoais de cada um, a fim de salvaguardar a identidade dos meus entrevistados e das pessoas que eles citam como parte de sua história de dor. Meu objetivo não é de forma alguma expor indivíduos, igrejas ou denominações, seja quem feriu, seja quem foi ferido.

Tampouco desejo acusar a Igreja de Cristo ou igrejas locais, criando mal-estar por lançar luz sobre o fratricídio emocional e espiritual que ocorre em muitas comunidades de fé. Por princípio, não gosto de somente expor um problema. Diagnosticar uma doença sem receitar um remédio não me parece fazer muito sentido — eu ficaria muito chateado se um médico fizesse isso comigo. Portanto, falarei, sim, sobre o problema — apresentando relatos dolorosos que o exemplificam —, mas tendo como foco principal a solução. *A cura.*

Minha meta com este livro é apontar aquele que entendo ser o caminho bíblico para sarar quem foi machucado na igreja ou pela igreja. É oferecer o bálsamo que as Escrituras nos apresentam. É contribuir para a plena restauração dos feridos, indicando direções que, talvez, eles não estejam enxergando em meio à densa névoa da mágoa, do ressentimento e da decepção. Somente lançar a lama no ventilador não me interessa; o que me motivou a escrever esta obra foi o desejo de apontar o caminho para a paz de acordo com as Escrituras.

Cabe dizer, ainda, que ao escrever esta obra minha motivação não foi jornalística, embora eu seja jornalista e o processo de escrita deste livro tenha exigido um amplo trabalho de pesquisa e entrevistas. Também não é acadêmica, embora eu tenha formação teológica. Minha motivação é, isto sim, pastoral — algo curioso, uma vez que não sou pastor ordenado. Mas, embora não seja pastor, amo pessoas, tenho empatia pelo próximo e sinto em mim a dor de cada um que foi ferido na igreja. E dói, acredite.

Sei que dói, também, porque este livro carrega traços de autobiografia, pois sofri minha dose de ferimentos no ambiente eclesiástico. Logo, entendo quem passou por isso. Não vou entrar em detalhes sobre o que vivi, pois não acredito em expor ninguém, nem isso traria qualquer benefício. Para os objetivos deste livro, basta que você saiba que passei por situações que me fizeram imergir em uma crise com reflexos em áreas como saúde e vida em família. E, machucado e fragilizado, em meio a momentos de fraqueza emocional, também acabei errando e machucando. Sim, não sou melhor do que ninguém. O evangelho de Cristo nos mostra que não há vantagem alguma em pôr uma máscara de superioridade moral ou espiritual — o caminho mais curto para a hipocrisia. Peço perdão a quem, em algum momento, se sentiu machucado por mim. Fato é que o livro que você tem em mãos não se baseia apenas em teoria: tudo o que apresento aqui eu experimentei na prática.

Em suma, o que me impulsionou a realizar a maratona de entrevistas e a pesquisa bíblica e bibliográfica que originaram este livro foi o ardente desejo de ver pessoas cuja alma foi transpassada por membros e/ou líderes de igrejas passarem pelo processo de cura que eu mesmo vivenciei, com base em ensinamentos bíblicos — para que, assim, voltem a sorrir, em paz e em plena comunhão com Deus e os irmãos.

• • •

O evangelho de Cristo não tem como finalidade maior a punição, tampouco deve resultar na destruição emocional e espiritual de seres humanos. Se isso ocorre em um ambiente cristão, é uma anomalia que deve ser corrigida quanto antes. Infelizmente, como Liev Tolstói afirmou em seu livro *Uma confissão*, muitas vezes os cristãos tratam uns aos outros de maneira pior que as pessoas de outras crenças.

Em seu ministério terreno, Jesus investiu na edificação e na restauração. Vemos nos evangelhos relatos e mais relatos de pessoas em estado deplorável de espiritualidade e vida que, podendo ser escorraçadas e castigadas por Cristo em razão de seus pecados, foram, isto sim, amadas, disciplinadas, orientadas, transformadas e reconstruídas. Penso que nós devemos fazer o mesmo.

Basta ver casos como o da mulher flagrada em adultério (Jo 8.1-11); o da "mulher pecadora" (Lc 7.36-50); o de Maria, irmã de Lázaro (Jo 11.1-2); o de Zaqueu (Lc 19.1-10); e o da samaritana (Jo 4.1-42). Jesus nunca ensinou a atirar a primeira pedra, mas deu o exemplo de que devemos conduzir pessoas equivocadas ao arrependimento, perdoar e, então, estimular a "ir e não pecar mais". Esse é, consequentemente, o *modus operandi* do cristão — ou deveria ser. Lamentavelmente, não é o que ocorre em muitos ambientes em que Cristo deveria ser glorificado, onde o que vemos são corações despedaçados.

Este é o livro mais doloroso que já escrevi. Para escrevê-lo, fiz questão de não me limitar a pesquisar a bibliografia sobre o problema das feridas na igreja, pois entendi que precisava imergir nesse universo de dor de alma, mediante conversas com pessoas que foram machucadas na comunidade de fé ou pela leitura de seus relatos. Meu objetivo era sentir em mim a dor de cada irmão e irmã, em um interesse não quantitativo, mas qualitativo, seguindo o conselho do teólogo croata Miroslav Volf: "Para lutar contra o mal, precisamos criar empatia com as vítimas. E para criar empatia com elas, devemos conhecer, ou pela experiência ou por histórias de testemunhas, o que significa passar fome e sede, sangrar, afligir-se ou tremer de medo".[8]

Reitero: este não é um livro sobre um fenômeno, é um livro sobre *pessoas*. Sobre Simone, Marcelo, Jaqueline, Murilo, Helga, Sara e tantos outros que se sentaram à minha frente de olhos vermelhos ou falaram com voz embargada ao telefone ou por videoconferência para contar sua história. E, acima de tudo, é um livro sobre uma pessoa em especial, a única que pode dar leveza aos corações dilacerados pela dor: Jesus de Nazaré.

Por essa razão, passei a buscar a resposta bíblica para o sofrimento desses meus irmãos e irmãs em Cristo com envolvimento e empatia, chorando com quem chora, ouvindo desabafos assustadores e me assombrando com aquilo que o pecado humano é capaz de fazer em nome de questões supostamente sagradas.

O resultado é o livro que você tem em mãos.

• • •

Neste ponto, é importante dizer algo que ficou claro logo que comecei a ouvir os testemunhos das pessoas que entrevistei: entre as que se dizem machucadas na igreja, há aquelas que não foram de fato machucadas. Por razões variadas, elas se magoam com algo ou alguém e, consequentemente, passam a desferir ataques imerecidos a líderes, estruturas ou indivíduos.

Por vezes, esses irmãos e irmãs são demasiadamente sensíveis. Outras vezes, são pessoas difíceis, com tendência à contestação, e que, por não aceitar aspectos da vida da igreja que são perfeitamente naturais, se insurgem contra autoridades e sistemas. Há, ainda, alguns que criam expectativas impossíveis de serem cumpridas ou se chateiam porque implicam com algo que, na realidade, não tem mal algum.

Na obra *Por que amamos a igreja*, os autores Kevin DeYoung e Ted Kluck aprofundam a questão. DeYoung escreveu que grande parcela do problema com os que saem da igreja reside em quem está saindo, e não apenas na igreja. Ele relata que, nas ocasiões em que foi machucado por pessoas da igreja ou ficou desanimado, "os maiores problemas terminaram sendo aqueles que vieram do meu próprio coração".

Não digo isso para dar um desconto às pressões externas, às situações difíceis ou às diversas maneiras pelas quais os cristãos podem ferir uns aos outros. Contudo, mesmo com todos esses fatores externos, meu principal problema tem sido Kevin. Reajo de maneira pecaminosa. Sinto pena de mim mesmo. Perco a fé. Duvido da Palavra de Deus. Não quero perdoar. Paro de ter esperanças. Fico amargurado. Fico indolente. Não ando no Espírito. Esses são os *meus* pecados, presentes no *meu* coração. As pessoas podem dificultar minha vida, mas eu posso torná-la insuportável.[9]

Como músico e poeta, Gerson Borges é um homem sensível, o que não o torna míope a essa realidade. Pastor da Comunidade de Jesus, em São Bernardo do Campo (SP), ele é obrigado a lidar constantemente com as mazelas de uma igreja local. Dono de uma visão amorosa daqueles que pastoreia, Gerson tem o bom senso de separar pessoas genuinamente feridas de gente problemática. "Há dois lados da questão. Se, por um lado, há, sim, indiferença e gente machucada, há também um discurso vitimista e autocomiserativo", explica.

Precisamos estar atentos para diferenciar, com transparência e honestidade, o que de fato é um ferimento imposto a uma vítima inocente do que é uma reação despropositada acerca de algo natural que aconteceu na igreja.

Quero convidar você a percorrer, ao longo das páginas a seguir, um caminho necessário para a cura das suas feridas. Vamos dar, juntos, passos seguros rumo a um destino de esperança, paz e consolo. E, aviso desde já, você não necessariamente dará esses passos sem algum nível de desconforto. Às vezes, o remédio é amargo e a injeção que provê a cura é dolorosa.

A leitura se dará em três etapas. Na Parte 1, buscaremos compreender quais são as principais causas de machucados no ambiente eclesiástico. Para tanto, tomaremos conhecimento de histórias tristes, de pastores e membros de igrejas que foram feridos por razões variadas. Não serão páginas fáceis de percorrer, pois apresentam algo que preferiríamos fingir que não existe: descalabros, desumanidade, interesses escusos, falhas, equívocos e pecados. A questão é que fingir que o problema não existe, varrendo a sujeira para baixo do tapete, não resolve o problema: por mais incômodo que seja fazê-lo, é indispensável encararmos os demônios que nos assombram, a fim de combater o mal. Embora criticasse a ideia de um cristianismo sem igreja, o teólogo Martyn Lloyd-Jones reconheceu: "É preciso concordar com muitas das críticas à igreja. Existe tanta coisa errada na igreja [...] que seria inútil e totalmente insensato negar isso".[10] Em sintonia com esse pensamento, na Parte 1 teremos o diagnóstico do problema e o encararemos com coragem, olho no olho.

Em seguida, na Parte 2, analisaremos algumas verdades fundamentais sobre a relação entre pecado, o ser humano e a igreja. Dificilmente alguém consegue se curar das feridas sofridas no ambiente eclesiástico se não tiver essas verdades bem claras na mente. Nesta seção, faremos um preparo preliminar, que entendo ser necessário para vivenciar a cura.

Por fim, na Parte 3, compreenderemos como obter a cura propriamente dita, por meio do único mecanismo bíblico efetivo para isso. Nesta seção, será aplicado o remédio que traz a cura à alma. Também veremos o resultado de pôr em prática aquilo que proponho nas páginas a seguir, ao tomar conhecimento de histórias de pessoas machucadas que trataram seus ferimentos de forma bíblica e, por essa razão, foram saradas.

Uma informação: adotei ao longo de todo o texto uma diferenciação entre a palavra "igreja" quando me refiro à igreja local ou ao corpo de Cristo. Sempre que utilizo a palavra com "I" maiúsculo, *Igreja*, estou me referindo à Igreja de Cristo, o corpo místico e invisível de Jesus, o conjunto de todos os salvos. Já quando uso "i" minúsculo, *igreja*, estou me referindo à igreja local ou denominacional, à instituição visível e terrena. É uma distinção importante no contexto desta obra, para que se compreenda exatamente a que estou me referindo em cada menção da palavra.

• • •

O escritor Brennan Manning afirmou que "somente soldados feridos podem estar a serviço do Amor".[11] Diante disso, eu pergunto: você se enxerga como um soldado ferido? Então, meu irmão, minha irmã, não oculte os seus ferimentos. Encare-os e prepare-se para trilhar a vereda da liberdade que só vem pelo perdão e o amor, passo a passo, a fim de se ver livre dos sentimentos ruins e das dores que o assolam — rumo à cura da sua alma e à restauração do seu coração.

PARTE 1

Machucados

Machucados

adjetivo plural

1 que se machucaram

2 deformados por golpes de outros corpos ou por esmagamento; esmigalhados, triturados

3 vincados ou enrugados devido à compressão; amarfanhados, amarrotados

4 que sofreram lesão física; feridos

5 que se magoaram; amargurados, tristes

Existem incontáveis maneiras de alguém se machucar na igreja. Ouvi relatos escabrosos e muito tristes das pessoas com quem conversei ou que me enviaram seus depoimentos, ou cujos relatos li em outras fontes para a realização deste livro. Tomei conhecimento de gente que recebeu punhaladas na alma por razões que vão de irmãos que lhes deram calotes financeiros ao caso extremo de um pastor do Rio de Janeiro que, de tão transtornado pela raiva, defecou na caixa d'água da igreja. Sim, você não leu errado: em decorrência dos choques sucessivos entre ele e o conselho da igreja, esse pastor ficou tão emocionalmente desequilibrado que, por vingança, fez suas necessidades fisiológicas na caixa d'água do templo.

Nos próximos capítulos, veremos as dez razões que, ouso crer com base em minhas leituras e entrevistas, são as que mais levam cristãos a se machucar no ambiente eclesiástico. É importante frisar que, para a identificação dessas razões, não usei metodologia acadêmica quantitativa, apenas uma análise qualitativa, para detectar um problema difícil de ser tabulado por ser orgânico, conter muitas variáveis e motivos que se misturam, e ter nuances diferentes caso a caso.

Ler os cinco próximos capítulos será doloroso para quem ama a Igreja de Cristo. No entanto, creio ser necessário transparência quanto ao que nos enferma, encarando o problema com coragem e maturidade, para que, mais à frente, possamos apresentar a cura.

Assim, listo a seguir, de forma exemplificada e reflexiva, aquelas que identifiquei serem as dez principais razões de pessoas acabarem machucadas nas igrejas, distribuídas em cinco capítulos. Como cada caso tem suas peculiaridades, algumas dessas razões se confundem e se misturam, mas, em linhas gerais, denunciam problemas específicos.

1
Egolatria

Ele [Jesus] deve se tornar cada vez maior, e eu, cada vez menor.

João 3.30

O evangelho de Jesus Cristo põe o foco no outro: Deus no centro e o próximo à sua sombra. O "eu" é posto de avental, humildemente enxugando os pés do Senhor com os cabelos e lavando os pés do próximo. Por essa razão, é lamentável vermos pessoas que foram chamadas para servir e dedicar a vida ao seu semelhante serem contaminadas pela egolatria, isto é, o amor exagerado pelo próprio eu, o culto de si mesmo. Se isso já é ruim, muito mais quando essa postura leva a situações em que aqueles que deveriam ser servidos e cuidados acabam machucados, como veremos neste capítulo.

Machucados pelo autoritarismo

"Estou ferida devido ao tratamento da minha liderança. Não maltrataram apenas a mim, mas o fizeram a muitas pessoas. Várias já saíram da congregação por não suportar esse comportamento. Já fui tratada com grosseria pelo pastor e sua esposa algumas vezes. Zágari, estou muito ferida. Quero sair de lá, mas minha família não. Os líderes nos tratam tão mal que as pessoas têm medo de se posicionar nas reuniões e dizem 'amém' para tudo. Eu mesma evito dirigir a palavra a eles, porque já conheço sua estupidez. Parece que os obreiros são serviçais deles. Tudo é extremamente controlado, e erros não são tolerados. Caso alguém falhe, não é tratado com compaixão; antes, é humilhado, ouve gritos e tem de aguentar tudo calado, porque é ovelha e, se não aceitar as grosserias que eles acreditam ser disciplina, é taxado de 'rebelde' e 'insubmisso'."

Esse desabafo, feito por uma jovem senhora que chamarei de Valéria, reflete uma realidade assustadoramente comum nos relatos de pessoas feridas na igreja: o autoritarismo de indivíduos que têm algum cargo de liderança no ambiente eclesiástico e que agem não de modo servil com seus irmãos, mas de forma elitista, impositiva e dominadora. Pastores, bispos, apóstolos, presbíteros... não importa o título que ostentem, os líderes autoritários machucam simplesmente porque acreditam terem recebido de Deus a autoridade para fazê-lo, o que revela que não compreendem direito o papel de um líder cristão.

É previsível que pessoas serão feridas quando têm líderes eclesiásticos que ignoram a orientação bíblica: "Não abusem de sua autoridade com aqueles que foram colocados sob seus cuidados, mas guiem-nos com seu bom exemplo" (1Pe 5.3). Se um líder eclesiástico desempenha sua autoridade com justiça e amor, realizando um bom trabalho, deve ter sua liderança reconhecida e acatada, além de receber honra redobrada (1Tm 5.17; 1Pe 5.5). Porém, em casos como o de Valéria, a postura ditatorial, agressiva, egocêntrica, intolerante, grosseira e controladora de sua liderança vai totalmente contra os princípios estabelecidos por Deus para um pastor ou líder cristão.

Que princípios são esses? Paulo esclarece que o líder eclesiástico "não deve ser arrogante nem briguento, [...] nem ser violento [...]. Em vez disso, deve [...] amar o bem. Deve viver sabiamente, ser justo e ter uma vida de devoção e disciplina" (Tt 1.7-8). Além disso, o próprio Jesus estabeleceu para seus discípulos uma característica indispensável ao líder cristão:

> Vocês sabem que os governantes deste mundo têm poder sobre o povo, e que os oficiais exercem sua autoridade sobre os súditos. Entre vocês, porém, será diferente. *Quem quiser ser o líder entre vocês, que seja servo*, e quem quiser ser o primeiro entre vocês, que se torne escravo. Pois nem mesmo o Filho do Homem veio para ser servido, mas para servir e dar sua vida em resgate por muitos.
>
> Mateus 20.24-28

Jesus deixou claro: o líder cristão jamais pode exercer sua liderança a fim de ser servido, mas para servir. Sua autoridade não pode, em absolutamente nenhuma circunstância, ser um meio para obter benefício pessoal — isso é uma violação do papel bíblico de um pastor cristão. Sua liderança não lhe dá carta branca para se tornar uma autoridade inquestionável, manipuladora, controladora ou agressiva, ou mesmo um indivíduo mimado que precisa ser agradado, bajulado e paparicado. Isso contradiz tudo o que significa ser servo.

O líder eclesiástico recebe autoridade de Deus com uma finalidade bem específica: *servir ao Senhor e aos liderados*. O pastor e teólogo Augustus Nicodemus Lopes ressalta que os líderes espirituais são merecedores de todo respeito e confiança e devem ter acatada a autoridade com que Deus os revestiu. No entanto, Augustus traça um limite para essa autoridade: exclusivamente até o ponto em que tais líderes estiverem submissos à Palavra de Deus, pregando a verdade e andando de maneira digna, honesta e insuspeita. "Quando se tornam repreensíveis, devem ser corrigidos e admoestados", afirma.[1]

Na prática, porém, muitos líderes não aceitam correção e admoestação. Enxergam-se como seres especiais e destacados por Deus dos demais, quase como os profetas ou reis do Antigo Testamento, o que os faria, de certo modo, se sentir donos de uma importância maior aos olhos do Senhor. E, se creem nisso, naturalmente não aceitarão ser questionados. Esses tais amam apontar o dedo, mas não suportam que lhes apontem de volta. Via de regra, quem ousa questionar suas falhas ou se posicionar contra posturas reprováveis que assumam é considerado "desleal" e, até, "traidor".

Jesus tratou especificamente do problema das autoridades religiosas que desempenhavam mal seu papel e, por isso, não deveriam ser seguidas. Em duas ocasiões diferentes, ele instruiu seus discípulos acerca dos fariseus e mestres da lei judeus — os líderes religiosos de sua época — e os chamou de "guias cegos", isto é, guias sem capacidade de guiar ninguém (Mt 15.1-14; 23). Portanto, posturas como a dos líderes de Valéria estão na contramão de tudo o que significa ser, à luz da Bíblia, um líder cristão.

Infelizmente, muitos dos indivíduos que ocupam cargos de liderança eclesiástica não têm estrutura para exercer autoridade, por questões de caráter, carências afetivas, traumas de infância, insegurança, falta de chamado divino ou qualquer outra razão emocional, espiritual ou psicológica. Com isso, acabam distorcendo o que significa *autoridade* e, para se validarem no cargo a que se agarram com unhas e dentes, a transformam em *autoritarismo*.

Isso é uma lástima do ponto de vista das Escrituras, porque a vocação para o pastoreio e a liderança eclesiástica tem como objetivo a edificação da Igreja e sua preparação para realizar a obra de Deus, jamais a opressão de cristãos ou o exercício do autoritarismo:

> [Deus] designou alguns para apóstolos, outros para profetas, outros para evangelistas, outros para pastores e mestres. *Eles são responsáveis por preparar o povo santo para realizar sua obra e edificar o corpo de Cristo,* até que todos alcancemos a unidade que a fé e o conhecimento do Filho de Deus produzem e amadureçamos, chegando à completa medida da estatura de Cristo.
>
> Efésios 4.11-13

Muitas vezes, o autoritarismo eclesiástico é consequência de uma visão equivocada da liderança, baseada em uma figura sacerdotal superior, igual à dos sacerdotes do Antigo Testamento, o que confronta o padrão resgatado pela Reforma Protestante, do sacerdócio universal dos crentes. No Novo Testamento, o conceito de sacerdócio ganha dois aspectos: Jesus é o grande sumo sacerdote (Jo 1.29; 1Tm 2.5; Hb 2.17; 3.1; 4.14s; 5.10; 6.20; 7.24-27; 9.12,26; 10.12), e todos os cristãos partilham do sacerdócio (1Pe 2.5, 9; Ap 1.5-6; 5.9-10). A esse respeito, o reformador Martinho Lutero escreveu:

> Tu perguntas: "Que diferença haveria entre os sacerdotes e os leigos na cristandade, se todos são sacerdotes?". A resposta é: as palavras "sacerdote", "cura", "religioso" e outras semelhantes foram injustamente retiradas do meio do povo comum, passando a ser usadas por um pequeno número de pessoas denominadas agora "clero". A Escritura Sagrada distingue apenas entre os doutos e os consagrados, chamando-os de ministros, servos

e administradores, que devem pregar aos outros a Cristo, a fé e a liberdade cristã. Já que, embora sejamos todos igualmente sacerdotes, nem todos podem servir, administrar e pregar. Como disse Paulo em 1Co 4.1: "Assim, pois, importa que os homens nos considerem como ministros de Cristo, e despenseiros dos mistérios de Deus".[2]

Segundo o pastor, professor e historiador Alderi Souza de Matos, isso significa que os leigos têm a mesma dignidade que os ministros, e esses diferenciam-se simplesmente porque foram escolhidos para realizar certos deveres definidos, a fim de que haja ordem na casa de Deus. "Foi esse princípio do sacerdócio de todos os crentes que libertou os homens do temor e da dependência do clero. É o grande princípio religioso que jaz na base de todo o movimento da Reforma", explica.

Lamentavelmente, muitas igrejas perderam esse conceito de vista e o substituíram pelo autoritarismo eclesiástico. Alderi acredita que o sacerdócio universal dos crentes corre o risco de tornar-se mera teoria em muitas igrejas evangélicas.

Sempre que os pastores exercem suas funções com excesso de autoridade (1Pe 5.1-3), insistindo na distância que os separa da comunidade, relutando em descer do pedestal em que se encontram, concentrando todas as atividades de liderança e não sabendo delegar responsabilidades às suas ovelhas, tornando as suas igrejas excessivamente dependente de sua orientação e liderança, não dando oportunidades para que as pessoas exerçam os dons e aptidões que o Senhor lhes tem concedido, há um retorno ao sacerdotalismo medieval contra o qual Lutero e os demais reformadores se insurgiram.[3]

Esse é um caminho contrário ao que Paulo afirmou ser o objetivo da autoridade ministerial. Ele escreveu: "Pode parecer que estou me orgulhando além do que deveria da autoridade que o Senhor nos deu, mas *nossa autoridade visa edificar vocês, e não destruí-los*" (2Co 10.8). Realidade que ele reafirmou logo depois: "Meu desejo é usar a autoridade que o Senhor me deu *para fortalecê-los, e não para destruí-los*" (13.10). Mais claro, impossível: a autoridade que Deus delega a um líder eclesiástico tem como objetivo edificar e fortalecer os liderados e, em hipótese alguma, machucá-los.

Machucados pela arrogância

A arrogância é uma doença espiritual maligna e silenciosa que, quando se manifesta no meio da igreja, destrói a vida emocional e espiritual de muitos. O arrogante constantemente aponta os erros dos outros, mas não consegue perceber como a sua essência está contaminada — e, se consegue, tem a arrogância de dizer que não é arrogante. Em nossos dias está disseminado no seio das igrejas o conceito antibíblico de que é possível ser arrogante e ser um bom cristão. Mas não é. Como escreveu o reformador João Calvino no clássico *As Institutas*: "Se queremos dar lugar ao chamamento de Cristo, que bem longe de nós esteja toda arrogância".[4]

Arrogância é sinônimo de orgulho, altivez, soberba, prepotência. Esse é um pecado tão escandaloso que o salmista diz ao Senhor: "Os arrogantes não permanecerão à tua vista" (Sl 5.5, RA). O olhar altivo do arrogante é um dos defeitos que Deus mais detesta, como Salomão deixa claro em Provérbios 6.16-19. No entanto, muita gente se machuca na igreja por causa, justamente, da arrogância de líderes ou outros irmãos.

C. S. Lewis, um dos pensadores cristãos mais respeitados do século 20, é incisivo em seu clássico *Cristianismo puro e simples:* "O vício fundamental, o mal supremo, é o orgulho. A devassidão, a cobiça, a ira, a embriaguez e tudo o mais não passam de ninharias comparadas com ele. É por causa do orgulho que o diabo se tornou o que é. O orgulho leva a todos os outros vícios; é o estado mental mais oposto a Deus que existe".[5] Orgulho, não custa lembrar, é sinônimo de arrogância.

É fácil diagnosticar alguém que sofre de arrogância. Comece procurando uma pessoa que se acha especial. Diferente. O escolhido. O inerrante. O inquestionável. O ungido. O profeta. O "cristão" altivo tem essa pretensão: achar que tem em si algo tão singular que Deus o separou do resto da humanidade.

Outra característica sempre presente no arrogante é que ele se acha o dono da verdade. Se alguém discorda dele é porque é ignorante, atrasado, desinformado, rebelde, desleal, não foi iluminado por Deus, não teve "revelação", não entendeu as realidades do alto ou qualquer coisa do gênero. Isso acontece porque a arrogância cega. Ela não deixa o arrogante se ver como tal. Assim, ele considera inverdade qualquer verdade fora da "sua verdade" e trata quem dele discorda como culpado de uma suposta ignorância proposital.

Discordar do arrogante é visto por ele como ofensa ou deslealdade. Até porque, no seu entendimento, as outras pessoas existem em função dele. Mal sabe ele que "o orgulho precede a destruição; a arrogância precede a queda" (Pv 16.18). Segui-lo é algo bastante problemático: "Como é feliz o que confia no Senhor, que não depende dos arrogantes, nem dos que se desviam para a mentira!" (Sl 40.4). O arrogante geralmente se prende a títulos e cargos para legitimar-se, esteja ele em que grau da hierarquia estiver. O livro *Os sem-igreja* expõe um depoimento que retrata bem o problema:

Não me falaram toda a verdade. Disseram que a igreja da religião onde eu estava não salvava, que não podíamos ter um papa. Trouxeram-me para outra instituição, protestante, que está cheia de papas assumidos e não assumidos, que não admitem crítica ou avaliação e que muitas vezes excomungam aqueles que não aderem a suas ideias ou não partilham delas.[6]

Infelizmente, a arrogância tem feito muitas vítimas nas igrejas. Um exemplo é Joana. Essa jovem frequentava uma congregação em que, por uma cultura denominacional, qualquer discordância dos líderes era muito mal vista, mesmo se fosse honesta, educada e bem-intencionada. Por essa razão, apesar de ter certa ressalva a algumas questões doutrinárias, ela sempre se manteve em silêncio, em especial por fazer parte do grupo de louvor. "Qualquer pessoa pertencente ao ministério que discordasse de algo era vista como rebelde", explica. Até o dia em que teve a péssima ideia de se abrir com seu líder de departamento.

Joana desabafa: "A resposta do meu líder foi a seguinte: 'E quem lhe disse que é Deus que está lhe falando isso? Eu sou o seu líder, logo, antes de ele falar com você, falará comigo!' Eu realmente não consegui acreditar no que estava ouvindo! Afinal de contas, o véu foi rasgado, não? Então, ele completou dizendo que a voz que eu ouvia não era de Deus e concluiu insinuando que eu estava sob a influência de um espírito ruim. Eu não concordei em ser 'tratada' para me livrar desse suposto espírito que me influenciava e, por isso, fui colocada no temido 'banco'. Depois dessa conversa, fiquei muito machucada".

Joana acabou mudando de igreja. Agora, porém, tem medo de se aproximar das pessoas. Ela conta que foi muito bem recebida em sua atual congregação, mas, mesmo assim, chegou como gato escaldado: "Após um ano congregando na nova igreja, ainda não me sentia preparada para estar em um ministério. Tinha muito medo de me machucar de novo. Foi bem difícil quando senti que teria de encarar isso novamente, pois amo servir no grupo de louvor. Confesso que, por vezes, vem aquele medo de expor uma opinião, mas acredito que, aos poucos, estou conseguindo superar isso". Algo foi essencial para que Joana conseguisse seguir em frente: "Eu consegui perdoar o meu antigo líder, minha igreja e o pastor. Oro que eles mudem suas atitudes".

O cientista da religião Rivanildo Guedes alerta: "O pecado é capaz de nos exilar em uma terra distante, onde apenas o nosso ego pode habitar. E é por isso que ele nos torna egoístas, adoradores do próprio eu. O pecado tem a prerrogativa de nos cegar a ponto de não conseguirmos enxergar as necessidades e as demandas das pessoas que nos cercam".[7] Isso explica por que, para o líder eclesiástico que sucumbe à arrogância, a crítica ou a divergência de opinião, mesmo legítimas e feitas com mansidão e boas intenções, são vistas como falta de lealdade, rebelião, insubmissão. O cristão que ousa questionar posturas do arrogante é visto como traidor, passível de reprimendas, sujeito à vara disciplinadora de Deus, quase um filho da ira.

O Senhor rejeita a tal ponto a arrogância que não hesita em permitir que seus filhos passem por situações difíceis para que não se tornem arrogantes. Um exemplo é o apóstolo Paulo, no conhecido episódio do "espinho na carne". Ele relata que foi arrebatado a regiões celestiais, onde "ouviu coisas tão maravilhosas que não podem ser expressas em palavras, coisas que a nenhum homem é permitido relatar"

(2Co 12.4). Deus, então, permitiu que lhe fosse posto um "espinho na carne", e Paulo, com clareza e humildade, revela o que motivou o Senhor a fazer isso: "Portanto, *para evitar que eu me tornasse arrogante*, foi-me dado um espinho na carne, um mensageiro de Satanás para me atormentar *e impedir qualquer arrogância*" (v. 7).

Dos tempos de Paulo para cá, infelizmente a arrogância continua fazendo vítimas. Mesmo reconhecendo que não é confortável relembrar a situação que enfrentou há alguns anos, a carioca Sara concordou em dar seu depoimento para este livro. Ela conta que foi membro de certa denominação por quinze anos, junto com a filha e o genro. O problema começou quando os três começaram a questionar algumas formas de trabalho da denominação em que congregavam. O resultado? "Fomos massacrados pelo pastor. Em reuniões de ministérios da igreja fomos chamados de 'fígado estragado', e ele decretou que teríamos de ser extirpados para 'não contaminarmos os outros obreiros'. Também fomos chamados de 'fracassados', e disseram que estávamos sendo usados pelo diabo." A pá de cal veio com uma explicação encharcada de inacreditável arrogância. "A liderança da igreja nos disse que, se o líder da denominação disse que algo era pedra, mesmo sem ser, nós teríamos de concordar", ela lembra, com tristeza.

Uma afirmação como essa ignora completamente os valores do cristianismo e os confronta. Em *As Institutas*, livro que sistematiza o pensamento reformado, Calvino exorta: "Ponham fim à vaidade e à arrogância, para que, com uma consciência pura, usem com pureza os dons de Deus".[8] Se não há essa pureza, a consequência são feridas. Foi o que ocorreu com Sara e sua família, que acabaram abandonando a igreja. Seu genro até hoje não voltou a congregar. A filha ficou seis anos sem frequentar uma igreja. Sara, por sua vez, buscou logo outra comunidade de fé, porém, traumatizada, manteve-se a uma distância segura. "Fiquei três anos nessa nova congregação sem querer me envolver com nada, para não dar oportunidade ao pastor, nem a algum líder, nem a ninguém, de me ferir", relata.

Teólogo e pastor da Igreja Metodista Livre Nikkei, em São Paulo (SP), Ziel Machado explica que, no Brasil de nossos dias, a disciplina nas igrejas é aplicada, em grande monta, não como forma de restaurar a pessoa que se acredita estar em pecado, mas como cumprimento de uma fórmula burocrática voltada à punição do indivíduo. "O processo de disciplina precisa ser lento e cauteloso, voltado a levar a igreja como um todo ao amadurecimento e à restauração. Porém, muitos pastores e líderes acabam agindo com imperícia e imaturidade na intenção de tentar solucionar conflitos. Isso é fruto muitas vezes de despreparo e, outras tantas, de posturas arrogantes. A consequência é que tais líderes acabam ferindo as pessoas e não ajudando na restauração delas." Ziel lamenta: "A forma como muitos pastores e líderes disciplinam as ovelhas em nossos dias frequentemente causa danos bastante mais graves do que o problema em si que levou à disciplina".

2
Prioridades invertidas

....

Oro para que o amor de vocês transborde cada vez mais e que continuem a crescer em conhecimento e discernimento. Quero que compreendam o que é *verdadeiramente importante*, para que vivam de modo puro e sem culpa até o dia em que Cristo voltar.

FILIPENSES 1.9-10

O evangelho de Cristo estabelece prioridades. Quando, motivados por interesses pessoais, invertemos a ordem do que é "verdadeiramente importante" à luz da Bíblia, alguém inevitavelmente sairá machucado, pois estamos sabotando a vontade de Deus em prol de agendas individuais. Se um líder, por exemplo, favorece determinadas pessoas da igreja em detrimento de outras segundo critérios biblicamente questionáveis, fere o padrão das Escrituras, que condenam o favoritismo. Outra forma de inverter prioridades é colocar o dinheiro acima de pessoas, o que, sob a ótica da fé cristã, é um total absurdo, como veremos neste capítulo.

Machucados pelo favorecimento

O favorecimento de determinadas pessoas em detrimento de outras é um fenômeno recorrente no ambiente eclesiástico. Foi o que aconteceu na igreja frequentada por Fernando, que se tornou "desigrejado" depois de ter vivenciado uma situação negativa de favorecimento.

Tudo começou quando seu pastor começou a remunerar outros pastores e músicos, todos parentes, e até alguns amigos bem próximos, com altos salários. "Nesse período, várias pessoas que trabalhavam na administração da igreja discordaram dessa atitude e o pastor simplesmente as tirou de suas funções", revolta-se Fernando. Sua insatisfação é compreensível à luz da Bíblia, que diz: "Mas a sabedoria que vem do alto é, antes de tudo, pura. [...] Não mostra favoritismo e é sempre sincera" (Tg 3.17).

O problema piorou quando Fernando passou a ver o dinheiro da igreja ser gasto de modo abusivo em benefício do pastor e de seus parentes. "Ele começou a comprar carros novos e terrenos e a fazer várias viagens internacionais", explica. Decepcionado, parou de frequentar os cultos e explicou a um irmão da igreja o motivo. A história chegou aos ouvidos do pastor, que o chamou para conversar, ameaçando processá-lo por calúnia e difamação. "Fui recebido pior que um criminoso. Expus minha discordância e só o que falaram é que Deus pesaria a mão sobre minha vida. Desculpe, mas isso não é igreja."

Quando o favorecimento visa beneficiar parentes dos líderes de igrejas, denominações e ministérios, o problema ganha um nome bem conhecido: nepotismo. Infelizmente, essa prática tem sido a causa de muitos machucados.

É importante deixar claro que o nepotismo, em si, não representa um mal. É natural, compreensível e aceitável que um líder eclesiástico escolha pessoas de sua família para ter determinadas atribuições na estrutura da igreja. Ele as conhece bem, confia nelas e sabe quais são seus dons e talentos.

Nada de antiético nisso. O problema ocorre quando os laços de família levam os líderes a agir de modo incorreto, abusivo ou prejudicial a outras pessoas ou à obra de Deus em favor de seus parentes. Isso é acepção de pessoas. É discriminação e favorecimento ilícito. E é pecado.

A obra *Uma nova reforma* traz o último texto publicado em livro pelo teólogo e pastor Russell Shedd, que faleceu durante o processo de edição. Em seu texto, no qual elenca erros da igreja evangélica atual, o dr. Shedd destaca justamente o mau nepotismo e a ganância como problemas no meio eclesiástico: "Foram líderes eclesiásticos [da época da Reforma Protestante] que praticaram abominações como nepotismo e acúmulo de dinheiro e poder. Alguns líderes de igrejas evangélicas em nossos tempos fazem a exata mesma coisa e, portanto, precisam de uma reforma, que só virá se eles se tornarem humildes como uma criança".[1]

O favorecimento se torna pecaminoso quando prioriza os interesses de uma pessoa ou uma família acima do que é correto ou das necessidades da igreja. Tiago escreveu:

> Meus irmãos, como podem afirmar que têm fé em nosso glorioso Senhor Jesus Cristo se mostram favorecimento a algumas pessoas? [...] Sem dúvida vocês fazem bem quando obedecem à lei do reino conforme dizem as Escrituras: "Ame seu próximo como a si mesmo". Mas, *se mostram favorecimento a algumas pessoas, cometem pecado e são culpados de transgredir a lei.*
>
> Tiago 2.1,8-9

Embora Tiago tenha escrito isso no contexto de discriminações de pessoas na igreja por sua condição socioeconômica, o conceito é perfeitamente extensível a qualquer tipo de discriminação.

A Bíblia é clara quando afirma que Deus "designou alguns para apóstolos, outros para profetas, outros para evangelistas, outros para pastores e mestres" (Ef 4.11). No entanto, não é raro ver parentes de líderes que visivelmente não têm chamado para o ministério serem ordenados a cargos sacerdotais. Ou, então, parentes são guindados a ocupar postos de trabalho na estrutura eclesiástica para os quais não têm as competências necessárias.

Embora não haja — volto a dizer — nenhum problema em um parente do líder receber uma atribuição ministerial ou mesmo um emprego assalariado na igreja, isso deve ser feito não em razão dos laços de sangue, mas por o líder identificar em seu parente o chamado divino para exercer o pastorado ou as competências específicas para ocupar profissionalmente um cargo. Qualquer desvio disso é uma sabotagem do projeto bíblico para aquela igreja, uma afronta à vontade de Deus e uma traição da confiança dos membros, que evidentemente esperam ser pastoreados por um pastor vocacionado de fato pelo Senhor ou ser servidos por funcionários que trabalhem com excelência.

Além do que, em situações como essa, infelizmente pode ser que se crie uma rede de interesses, em que os objetivos acabem sendo voltados para o que beneficia a família favorecida e não necessariamente o reino de Deus e, por extensão, os membros da igreja. Helga viveu isso na pele.

Ao ser convidada a trabalhar em uma função administrativa junto à sua liderança, a gaúcha Helga ficou chocada ao ver como o dinheiro de dízimos e ofertas era gerido. A situação se agravou a tal ponto que Helga desenvolveu uma doença de origem emocional. Ao expor para membros da família que liderava a igreja a sua insatisfação, sob promessa de sigilo pastoral, ela se deu conta de que teve informações vazadas e, em pouco tempo, percebeu que familiares seus passaram a ser alvo de perseguição na igreja. Diante disso, Helga decidiu parar de frequentar aquela congregação e acabou pedindo demissão do emprego.

O pernambucano Carlos também foi machucado por razões de favorecimento. Tudo começou quando ele passou a perceber que seu então pastor favorecia certas pessoas em detrimento de outras em função do poder aquisitivo de cada uma. Carlos conta que seu líder não tinha escrúpulos para expulsar do rol de membros e punir de maneiras variadas os irmãos mais pobres. "É muito triste saber que existem líderes que acham que a obra de Deus é totalmente sua e de mais ninguém", diz.

Favorecimentos também acontecem, por exemplo, em decorrência de jogos políticos ou de mudanças de políticas internas no corporativismo eclesiástico. O livro *Os sem-igreja* apresenta depoimentos de pessoas que sofreram com o problema: "Eu coordenava um ministério que estava dando certo. De repente fui substituído sem explicação. Fui traído e alvo de inveja. As pessoas que treinei e que estavam envolvidas e comprometidas foram substituídas", relata um irmão que teve seu nome mantido no anonimato.[2]

A política de "dois pesos, duas medidas" constantemente faz vítimas nas igrejas, em especial quando há em jogo algum fator que beneficie as lideranças. Um depoente lamenta o que testemunhou na igreja que frequentava: "Os membros mentirosos, os desagregadores, os empresários fraudulentos, os gananciosos e qualquer 'gente de posse' que oprimia em sua influência — nenhum desses jamais foi tocado, confrontado ou exortado pelas lideranças locais. Chega, estou cansado disso".[3]

Machucados pelo amor ao dinheiro

"Ninguém pode servir a dois senhores, pois odiará um e amará o outro; será dedicado a um e desprezará o outro. Vocês não podem servir a Deus e ao dinheiro" (Mt 6.24). Jesus fez essa advertência dois milênios atrás, mas ela continua tão relevante hoje como naquela época, sobretudo quando pessoas que frequentam igrejas acabam sendo machucadas por questões relacionadas a dinheiro. Joaquim é uma delas.

Nascido e crescido em uma cidade pequena, apaixonado por teologia e dedicado ao estudo da Palavra, Joaquim concordou em dividir um apartamento e todas as despesas da moradia com dois irmãos de sua igreja. Ao acertar como funcionaria a parceria, os três combinaram que, todos os meses, entregariam o dinheiro para pagar as contas ao mais velho deles, que ficaria encarregado dos pagamentos.

Tempos depois, os dois companheiros de quarto de Joaquim se mudaram da cidade, por motivos diversos. Foi quando estourou a bomba. Somente após a partida dos dois, Joaquim descobriu que o rapaz responsável pelos pagamentos havia embolsado todo o seu dinheiro, sem pagar nenhuma conta durante o tempo que moraram juntos. O resultado é que Joaquim se viu obrigado a quitar, sozinho, uma enorme dívida, contraída sem que ele tivesse culpa nenhuma.

Como a cidade era pequena, em pouco tempo a história da dívida correu entre a membresia da igreja e ele passou a ser visto como uma pessoa antiética. "Fui taxado por meu pastor de irresponsável, e ele nem sequer quis me ouvir. Essa situação causou imensos danos à minha imagem. Passei fome, tive dificuldades nos estudos, emagreci muito e todos na igreja ficaram falando coisas sobre mim que não eram verdade, sem nem ao menos me procurar para ouvir minha versão da história." Joaquim conta que pensou em nunca mais voltar a frequentar uma igreja. "Sinto-me imensamente ferido", conclui.

No livro *Decepcionados com a graça*, o pastor e teólogo Paulo Romeiro relata diversas histórias de pessoas que foram feridas porque decidiram seguir as promessas de igrejas que adotam a teologia da prosperidade e acabaram sendo prejudicadas financeiramente, com repercussão até mesmo na grande mídia. Romeiro cita casos de diversos ex-fiéis de denominações neopentecostais que entregaram dinheiro à igreja à espera de bênçãos prometidas e não alcançadas. Alguns chegaram ao ponto de ir à justiça após se perceberem lesados pelas promessas de prosperidade financeira que não deram em nada. "Os depoimentos apresentados representam apenas uma amostra das esperanças frustradas que a teologia da prosperidade tem produzido", explica Romeiro.[4]

A Bíblia lança um alerta para quem põe o coração no dinheiro:

> Mas aqueles que desejam enriquecer caem em tentações e armadilhas e em muitos desejos tolos e nocivos, que os levam à ruína e destruição. Pois o amor ao dinheiro é a raiz de todo mal. E alguns, por tanto desejarem dinheiro, desviaram-se da fé e afligiram a si mesmos com muitos sofrimentos.
>
> 1Timóteo 6.9-10

Ao ouvir os relatos de pessoas que, por conta de questões financeiras, foram machucadas na convivência com outros cristãos, essa verdade ganha cores ainda mais fortes. Jeferson e sua esposa foram vítimas desse problema.

Os dois se converteram e foram batizados em uma igreja histórica. Em pouco tempo, ficaram muito amigos da família do pastor. Por ser um advogado bem-sucedido, Jeferson tem um elevado padrão de vida. Não demorou muito e um dos pastores começou a lhe pedir que fizesse compras para ele em seu cartão de crédito. No dia de vencimento da fatura, porém, o pastor sempre dava uma desculpa e não pagava. "Chegou um ponto em que eu não aguentava mais ser explorado, por isso rompemos os vínculos de amizade e minha esposa e eu decidimos mudar de igreja", relata.

Jeferson foi vítima de algo chamado abuso espiritual, que é "o uso da posição de liderança ou de poder para seduzir, influenciar e manipular as pessoas a fim de alcançar interesses próprios". Normalmente, quem pratica esse tipo de abuso tenta passar a impressão de que aquilo que deseja é do interesse de Deus e de sua obra, mas, na realidade, é para satisfazer o ego. Especialistas ouvidos por reportagem da revista *Comunhão* afirmam que as vítimas desse sistema "podem carregar por um bom tempo as marcas de dor, tristeza e revolta, com casos extremos em que muitos fiéis entram em depressão, desenvolvem doenças graves e chegam até a cometer suicídio".[5]

Lamentavelmente, a troca de igreja não protegeu Jeferson. Na nova congregação, a história se repetiu. "Meu novo pastor me pedia que lhe comprasse coisas na maior cara de pau. Dizia: 'Abençoe o seu pastor, me dê um celular' ou 'Abençoe a sua igreja, mande fazer o banheiro e o jardim'." Jeferson muitas vezes deu o que o seu cativante pastor pedia, até que chegou a um ponto em que passou a se sentir usado e explorado.

A gota d'água foi quando o pastor pediu a Jeferson que lhe emprestasse um cheque como garantia em uma negociação, afirmando que em nenhuma hipótese o depositaria.

Porém, o cheque bateu. "Fui falar com meu pastor e ele me disse que o havia depositado porque eu não precisava do dinheiro, visto que tenho até uma lancha. Ele simplesmente afirmou que considerava o dinheiro uma oferta." Sentindo-se traído, Jeferson se afastou e decidiu nunca mais voltar a uma igreja evangélica.

3
Deslealdade

Confiar numa pessoa desleal em tempos de
dificuldade é como mastigar com um dente quebrado
ou caminhar com um pé aleijado.

Provérbios 25.19

É muito comum a ideia de que lealdade é algo devido pelos membros da igreja aos seus líderes. Isso é verdade, mas não é toda a verdade. Porque uma relação de liderança e submissão é uma via de mão dupla, exige-se também do líder uma postura de lealdade inegociável aos liderados, algo que muitas vezes é ignorado. Também é fundamental que todo cristão dê bom exemplo, agindo de modo coerente com o que se espera de cada um. Qualquer quebra nessa relação, seja de que lado for, provoca decepções, abalos e feridas profundas, como veremos neste capítulo.

Machucados pela traição da confiança

É inadmissível que um cristão, em especial um líder eclesiástico, comente com terceiros os pecados de uma pessoa que lhe foram ditos em sigilo e confiança. Infelizmente, é muito arriscado obedecer à orientação bíblica: "Portanto, confessem seus pecados uns aos outros e orem uns pelos outros para serem curados" (Tg 5.16). Quando um cristão abre o coração a um irmão em Cristo ou a um líder e descobre que foi traído, isso tem um enorme poder destrutivo em suas emoções e sua espiritualidade.

A paraense Soraia relatou a história de seu irmão, que foi profundamente machucado por seu então pastor: "Ele é uma pessoa muito fechada, mas confiou no pastor e acabou lhe fazendo confissões sobre pecados que cometera em seu casamento. Só que o pastor contou tudo para a minha cunhada!". O resultado? "A bomba estourou e ela pediu o divórcio. Meu irmão não conseguia acreditar em tamanha traição." As consequências foram devastadoras. "Hoje, ele é muito ferido e acha todo pastor um sem-vergonha. Não aceita mais ouvir falar de crentes, a quem chama de hipócritas. Agora meu irmão quer voltar para a Igreja Católica, onde, segundo ele, a confissão é levada a sério", lamenta.

Se a incapacidade de um cristão guardar segredo sobre pecados de irmãos já fere quem foi alvo dessa falta de lealdade, o problema se avoluma quando os motivos são benefícios pessoais e torna-se especialmente destrutivo quando o boquirroto é líder eclesiástico. Afinal, diz a Bíblia: "Se algum de vocês afirma ser religioso, mas não controla a língua, engana a si mesmo e sua religião não tem valor" (Tg 1.26).

Sempre que um cristão falta com o sigilo, estriba-se em justificativas e desculpas que se tornaram comuns nas igrejas. Eu mesmo já me assustei com a quantidade de vezes que irmãos se aproximaram de mim e disseram coisas como: "Zágari, fulana de tal está com problemas conjugais porque adulterou com beltrano. Estou lhe falando isso para que você ore por ela". Nessas horas, tenho a impressão de que a pessoa está me falando tal coisa motivada pelo desejo de fofocar e não por uma real vontade de que eu interceda por quem está com problemas.

Devemos ser muito zelosos quando alguém nos segreda algo, sobretudo se nos é dito especificamente que as informações estão sendo compartilhadas conosco em confiança e sob a condição de sigilo. Devemos manter silêncio quanto ao que nos foi dito e jamais expor a pessoa. Isso é sagrado. Até porque faltar com a palavra ao vazar informações que nos foram ditas em confiança é uma maligna transgressão ao mandamento de Jesus: "Quando disserem 'sim', seja de fato sim. Quando disserem 'não', seja de fato não. Qualquer coisa além disso vem do maligno" (Mt 5.37).

A baiana Bruna viveu uma fase muito difícil em sua vida. Assolada por uma grave crise de estresse, depressão e ansiedade provocada, em grande parte, por situações que vivenciou nos bastidores da vida eclesiástica, ela baixou a guarda e acabou tendo um comportamento impróprio em sua vida conjugal. Arrependida, confessou o erro ao marido e, mediante diálogo, arrependimento e perdão, a crise foi superada. Quando o problema já estava terminado, uma pessoa a acusou junto a seu líder. Bruna resolveu, então, usar de toda sinceridade e confessou a ele, em condição de sigilo, o problema que tivera. Após uma dolorosa conversa, seu líder assegurou-lhe que ela estava perdoada.

No dia seguinte, porém, Bruna recebeu um *e-mail* do líder em que ficou claro que ele havia relatado o pecado para outras pessoas. Se Bruna já estava fustigada pelo peso da culpa, em razão do erro que havia cometido e do qual estava sinceramente arrependida, ao tomar conhecimento da atitude da pessoa que ela amava, admirava e que via como exemplo, afundou ainda mais na depressão. "Se nem a pessoa que eu via como meu maior referencial de comportamento cristão ateve-se à ética cristã, em quem confiar?", questiona. Foram necessários muitos meses, terapia, medicamentos e aconselhamento pastoral para que Bruna superasse o trauma.

Brito, por sua vez, afastou-se da igreja depois que a congregação de que era membro, filiada a uma denominação bastante tradicional, mudou sua linha e adotou uma filosofia de expor pecados das pessoas. "Cheguei a ver em um culto de domingo o pastor expor no púlpito um adolescente de 12 anos, filho de um casal de membros, que forçava a irmã a fazer sexo oral nele." Segundo Brito, o pastor usava versículos das Escrituras fora de contexto para justificar sua crença em que as pessoas deveriam expor suas intimidades a toda a igreja. Por isso, ele as constrangia, mencionando de púlpito situações de cunho íntimo.

Essa situação foi, aos poucos, machucando Brito. "Sem concordar com essa prática, comecei a me afastar. Decidi sair da igreja. Hoje, sou apenas um frequentador esporádico, pois perdi a confiança de que vou encontrar no pastor um amigo para me ouvir e me ajudar em minhas fraquezas", confessa.

A traição da confiança também ocorre entre pastores. Marcondes, que é pastor auxiliar em uma igreja histórica, relata que já viu colegas de ministério segregarem determinados tipos de situação a outros pastores, e quando se deram conta a questão compartilhada sob promessa de sigilo estava sendo apresentada em reuniões para discussão. "Existe muita falta de lealdade entre pastores em certas instâncias da igreja. Isso rompe vínculos de confiança e desgasta relacionamentos."

Na opinião de Marcondes, aquilo que ele chama de "política eclesiástica" é uma das principais razões para esse tipo de traição. "O fato é que o ministério pastoral é uma realidade solitária, pois muitas vezes não sabemos em que colegas podemos realmente confiar." A solidão ministerial está entre os problemas que levam pastores a se isolar e, em casos extremos, a se suicidar. Pesquisa do Instituto Schaeffer, realizada com 5.500 pastores dos Estados Unidos e 2.250 de países de diferentes continentes, revelou que 58% deles afirmam não ter nenhum amigo verdadeiro, o que inclui colegas de ministério.[1]

Machucados pelo mau exemplo

Espera-se de qualquer cristão que viva o que prega e aquilo em que acredita. Em especial, os líderes têm uma enorme responsabilidade quanto a isso, estejam eles à frente de uma denominação, uma igreja local ou um departamento eclesiástico. O fato de serem líderes faz que surja uma expectativa natural entre os liderados para que sejam modelos. Quando o membro enxerga maus exemplos nas atitudes de seus líderes, isso o machuca e, com muita frequência, muda sua forma de ver a igreja e se relacionar com ela.

O pastor e escritor Osmar Ludovico é autor de belíssimos livros sobre espiritualidade, como *Meditatio* e *Inspiratio*. Embora ele mesmo não considere já ter sofrido algum tipo de ferimento na igreja, explica que sua família colhe até hoje as consequências do problema. "Uma divisão provocada por um líder de jovens causou um grande impacto negativo na vida dos meus filhos", diz.

Osmar é casado com a psicóloga e escritora cristã Isabelle Ludovico, com quem tem um casal de filhos. Na época em que conversei com ele para a realização deste livro, tanto seu filho quanto sua filha estavam "desigrejados" em decorrência do mau exemplo do referido líder, que machucou profundamente os dois. "Meus filhos continuam cristãos, têm princípios e ética, e participam ocasionalmente de alguma celebração. Mas não querem saber mais de igreja."

Já a paraense Zilda conta que seus problemas começaram quando se converteu e passou a congregar em uma igreja em que não conseguia ver os líderes como exemplos a serem seguidos. "Comecei a dar aulas na escola dominical e a ministrar palestras, o que me deu certa visibilidade. Em vez de me incentivarem, meu pastor e sua esposa surtaram de inveja. Foi terrível. Minha pastora criou uma rixa tremenda comigo. Tudo era motivo de meu esposo e eu sermos ridicularizados.".

A esposa do pastor começou a ir à casa dos membros da igreja a fim de difamar Zilda. "Por onde eu passava, ou me viravam a cara ou me contavam o que minha pastora tinha feito. Chegou ao ponto de, em uma conversa, ela confessar que me odiava e que eu tinha culpa nisso, pois sabia que ela não gostava de mim mas não havia orado por ela. Veja que nível de confusão mental", relata.

Histórias como essa não são raras e, às vezes, são assustadoras. O paulista Marcelo e sua família deixaram a denominação em que congregaram por mais de trinta anos por enxergar uma avalanche de problemas associados ao mau exemplo de sua liderança. Ele desabafa: "Meus pastores mandavam indiretas de púlpito, não davam assistência aos doentes e necessitados da igreja, se preocupavam demais com o prédio em detrimento dos aspectos espirituais, eram incapazes de admitir seus erros e de aceitar sugestões que não viessem deles ou de um membro de sua família, humilhavam pessoas nas reuniões e jamais elogiavam quem havia feito um bom trabalho. Além disso, planejaram um sistema hereditário de pastoreio da igreja que batia de frente com o estatuto da instituição". O resultado dessa situação caótica é que Marcelo e sua família não aguentaram mais e optaram por mudar de igreja.

A Bíblia menciona diferentes casos de líderes (não necessariamente religiosos) que deram mau exemplo. Invariavelmente, suas atitudes equivocadas provocaram danos. Basta lembrar de Davi, que, ao convocar a realização de um censo, causou a morte de setenta mil pessoas (2Sm 24), ou de Roboão, que, ao aumentar a carga tributária do povo, causou a divisão de Israel (1Rs 12). Além disso, conhecemos as histórias dos muitos reis de Israel e Judá que, por praticarem idolatria, darem as costas ao Senhor e oprimirem os pobres, entre outras razões, provocaram o juízo de Deus e levaram os respectivos reinos a ser dominados por povos estrangeiros. Infelizmente, muitos líderes espirituais de nossos dias parecem não ter aprendido a lição com esses exemplos.

A causa das feridas da paulistana Cláudia e de seu marido, um pastor, foi um sentimento humano nada exemplar: a inveja. Ele e dois outros pastores decidiram plantar uma igreja, um projeto que começou muito bem. Até que um dos líderes começou a boicotar o trabalho dos outros dois. "O fato é que tanto o meu marido quanto o outro pastor acabaram saindo, ou, na realidade, 'sendo saídos', da igreja", relembra Cláudia, com desgosto.

Algumas histórias de machucados sofridos na igreja parecem roteiros de filmes de ficção, tamanho é o grau de surrealismo. É o caso de Jane. Tudo começou quando um novo pastor assumiu a liderança da igreja em que ela congregava. A conduta dele foi a pior possível: "O pastor perseguia membros, mentia, armava, se dizia o dono da igreja. Ameaçou bater em ovelhas. Grampeava telefonemas. Consultava dados dos membros no SPC, gravava conversas e expunha as gravações nas reuniões. Acusava irmãs de serem lésbicas sem provas, e coisas similares".

Jane tentou mostrar ao pastor que esse abuso emocional estava errado, mas só conseguiu dar início a uma perseguição. "Aquele homem começou a mentir a meu respeito e a usar contra mim *e-mails* que eu havia enviado. Quando o questionei, sabe o que ele fez? Ameaçou me queimar com a igreja. Fiquei muito mal." Jane decidiu deixar aquela comunidade e passou a congregar em uma igreja de outra denominação.

O mau exemplo de membros de igrejas e de líderes muitas vezes ganha outro nome: *hipocrisia*. A diferença entre o que se prega e o que se vive tem um poder enorme de decepcionar as pessoas. Não faltam relatos sobre decepções de cristãos com irmãos na fé por conta de ações incoerentes com palavras. O fato é que a hipocrisia é um dos pecados que Jesus mais criticou em seu ministério terreno, em especial ao falar dos religiosos de seu tempo:

> Que aflição os espera, mestres da lei e fariseus! Hipócritas! São como túmulos pintados de branco: bonitos por fora, mas cheios de ossos e de toda espécie de impureza por dentro. Por fora parecem justos, mas por dentro seu coração está cheio de hipocrisia e maldade.
>
> Mateus 23.27-28

A orientação bíblica para esse tipo de comportamento é clara: "Portanto, livrem-se de toda maldade, todo engano, toda hipocrisia, toda inveja e todo tipo de difamação" (1Pe 2.1). Não é de admirar que feridas profundas resultem desse tipo de situação. Afinal, como escreveu Gerald S. Sloyan: "A hipocrisia é a expressão natural do que é mais perverso em nós".² Esse mal provoca ainda outro efeito colateral: a hipocrisia de cristãos é uma das maiores responsáveis por rótulos depreciativos que a sociedade nos atribui, tais como "julgadores" e "falsos moralistas".

O caso da catarinense Jéssica é emblemático. Ela e o então marido eram líderes de um departamento na igreja e também o "braço direito" do pastor, em uma relação bem próxima da liderança. Por essa razão, foi chocante quando ela descobriu que seu marido a traía e era acobertado pelo pastor do casal. Assim que Jéssica tomou conhecimento do adultério do marido, junto veio a decepção com a atitude do seu líder espiritual. "O que contribuiu para que a decepção fosse ainda maior foi descobrir que ele acobertava meu ex-marido. Por um ano, ele me traiu e o pastor sabia de tudo, mas não tomou nenhuma atitude", espanta-se.

Jéssica conta que ficou muito chocada e irada com o pastor, a ponto de, tomada de mágoa, ira e rancor, trocar mensagens ofensivas com ele pela Internet. Mas nada adiantou. "Um tempo depois, meu ex-marido se casou com a moça com quem adulterava e esse pastor celebrou o casamento deles. Hoje, meu ex-marido e sua atual mulher são pastores auxiliares daquela igreja. Tudo isso destruiu a minha alma."

4
Falsos ensinamentos

Muitos se afastarão de mim, e trairão e odiarão uns aos outros. Falsos profetas surgirão em grande número e enganarão muitos. O pecado aumentará e o amor de muitos esfriará, mas quem se mantiver firme até o fim será salvo.

MATEUS 24.10-13

O cristão precisa ter sempre em foco aquilo que o evangelho de Cristo verdadeiramente diz. Distorções da sã doutrina bíblica são garantia de feridas na igreja, pois quem é submetido àquilo que as Escrituras não dizem e se deixa enredar por falsos ensinamentos acaba se distanciando da vontade de Deus. Falsos ensinamentos também levam à imposição de jugos pesados que não encontram eco na Bíblia e que pecam por priorizar aspectos pouco importantes acima do prioritário amor ao próximo. Nesses casos, é previsível que pessoas se machucarão, como veremos neste capítulo.

Machucados por questões doutrinárias

Problemas decorrentes de teologias, doutrinas, usos e costumes estranhos às Sagradas Escrituras têm feito muitas vítimas nas igrejas. A mineira Nádia é um exemplo. Membro de uma igreja há mais de dez anos, testemunhou de perto mudanças na linha doutrinária da liderança, que adotou o que ela considera uma perigosa "teologia de resultados".

Nádia explica que dinheiro e dízimos passaram a ser temas constantes no púlpito, condicionando a bênção de Deus a contribuições financeiras feitas à igreja. Ela parou de frequentar o culto de domingo à noite, porque não aguentava mais o que chama de "pregação do evangelho de autoajuda". "Nossa liderança está completamente afastada do evangelho puro e simples", afirma. "Os pastores estão preocupados em não perder os jovens para outras igrejas, mas parecem não se preocupar com o tanto de pessoas que ficaram feridas em decorrência do que eles estão fazendo para segurar a membresia." Nádia diz ter a sensação de que ela e seus amigos estão "morrendo aos poucos". "Continuamos congregando, mas parece que nos tornamos 'desigrejados' dentro da igreja. Tenho percebido entre o meu grupo de amigos que estamos terrivelmente amargos e desesperançados em relação à nossa igreja", lamenta.

Na pesquisa que acabou gerando seu livro *Decepcionados com a graça*, o pastor e teólogo Paulo Romeiro enfatizou o problema enfrentado por pessoas que se machucaram em razão de falsas promessas feitas em igrejas que seguem a chamada teologia da prosperidade. Ele mostrou certo padrão entre elas: "No início, ocorrem o deslumbramento, a expectativa, a entrega pessoal pela causa e a confiança despreocupada na proposta do grupo. Com o tempo, porém, vêm os questionamentos relativos à linha de pregação, à administração financeira ou a questões éticas, provocando o rompimento".[1]

A mineira Sônia enfrentou grandes conflitos quando a igreja em que congregava havia décadas decidiu mudar sua orientação quanto a determinados usos e costumes e começou a aceitar como membros pessoas com características em seu aspecto físico que uma parcela mais antiga da membresia considerava inaceitáveis. A questão gerou grande polêmica e divisão entre os membros. Uns ficaram favoráveis à mudança e outros a rejeitaram. Como resultado, muitos obreiros abdicaram do cargo e criou-se grande antipatia entre os grupos opositores.

O relato de Sônia expõe um problema nada incomum nas igrejas: o conflito de gerações. Não é raro que pessoas se sintam ofendidas pela intolerância de irmãos em Cristo que não compartilhem de suas visões. A mudança de valores que acompanha a sucessão de gerações é natural e esperada. O que não pode acontecer é essas diferenças serem tratadas com intolerância, desrespeito, falta de tato e consideração. O desamor ao se lidar com membros da mesma igreja acaba fazendo muitas vítimas.

"Não tenho mais a mesma vontade de participar dos cultos, pois vejo que, aos poucos, o mundanismo está se infiltrando dentro da igreja e isso me incomoda", diz Sônia. "Estamos recebendo um gelo da igreja. As pessoas mal nos olham... Meu esposo tem permanecido firme. Eu é que tenho me afastado mais, porque tenho a impressão de que ficam jogando indiretas para mim e para os que eram a nosso favor."

Já o problema de Péricles começou quando ele decidiu estudar teologia. A igreja em que congregava era excessivamente apegada a manifestações sobrenaturais, como revelações e visões, e a teologia formal e acadêmica era atacada com veemência nos púlpitos. Péricles começou a questionar isso, o que incomodou a liderança. Ele passou, então, a ser acusado de "estar na letra que mata".

"As pessoas começaram a tratar a mim e a minha esposa com distanciamento. Lembro-me de um irmão que costumava me dar carona e passou a me deixar a pé, mesmo me vendo na igreja e sabendo que íamos para o mesmo local", recorda. A rejeição de toda a congregação em que estava havia mais de uma década chegou a tal ponto que ele passou a não ver outra alternativa a não ser mudar-se para uma igreja diferente. "Fomos tratados como leprosos no meio do rebanho. Já se passaram anos, mas até hoje tenho medo dos sistemas eclesiásticos, principalmente dos que concentram poder na mão de poucas pessoas", lamenta. "Gostaria muito que nos feríssemos menos e nos parecêssemos mais com Cristo."

Em seu livro *Feridos em nome de Deus*, a jornalista Marília de Camargo César relata a história de uma mulher chamada Célia, que sofreu nas mãos de uma igreja que tinha ensinamentos bastante questionáveis. Paciente de uma doença autoimune, Célia passou a acreditar que a enfermidade era causada por fatores espirituais e, por isso, concordou em largar os remédios e a se submeter a exorcismos, jejuns e sessões de libertação, sem que nada disso tivesse efeito. Certa ocasião, seus pastores conclamaram a igreja a comparecer a uma "conferência profética", em que um pregador supostamente usado em milagres havia mandado avisar que curaria surdos e mudos. Célia exultou, pois sua irmã sofre de deficiência auditiva e ela viu na oportunidade a chance de cura.

No dia do encontro, o preletor orou por sua irmã e "declarou" sua cura. Passada a empolgação do momento, a jovem continuou exatamente como antes. Ao relatar esse fato aos irmãos da igreja, Célia foi posta no banco dos réus, acusada de ter "perdido a bênção" porque não tivera "fé suficiente".

Essa e outras situações a levaram a abandonar a igreja, num estado de profunda confusão emocional.[2]

Machucados por pressões indevidas

A igreja deve funcionar como uma família, ligada não por laços de sangue, mas por laços de fé e amor. Em toda família existe certo grau de intrusão na vida uns dos outros, por isso é natural que essa inter-relação também ocorra na igreja. Porém, toda e qualquer interferência deve ter sempre como objetivo o bem do próximo e sua edificação, e jamais pode levar a machucados emocionais. Quando a intrusão se torna uma pressão indevida e abusiva, certamente pessoas sairão machucadas.

A jovem Fátima foi gravemente ferida pela imposição de exigências absurdas, o que a lançou em uma crise depressiva e a fez questionar sua fé. Ela relata que tamanha era a pressão para agir de determinadas maneiras que, em certo momento, percebeu que a igreja não a estava estimulando a se parecer com Cristo, mas, sim, com seus líderes. "A pressão para estar o tempo todo na igreja era tanta que eu participava de vários departamentos, exercia montes de atividades, estava sempre envolvida em numerosos eventos, além de ser forçada a estar presente nos muitos cultos que havia durante a semana. Eu acabava me sentindo culpada quando, por vezes, optava por estar num aniversário de amigos e familiares e não no culto", desabafa.

Fátima acabou esgotada emocional e espiritualmente. Foi quando se deu conta de que a principal causa para seus terrores era o modelo de liderança dos pastores, baseado em medo, ameaças, gritos e agressividade, com o exercício de uma pressão e de uma cobrança constantes sobre os membros para que agissem exatamente do modo que acreditavam ser o certo. O resultado? Machucados profundos na alma.

A carioca Amália, por sua vez, afirma ter sido ferida na igreja devido ao jugo que era imposto aos membros, num legalismo incompatível com o evangelho da graça. "Eu frequentava reuniões de discipulado que, para mim, eram mais sessões de cobrança legalista do que discipulado", lembra. "Muitas vezes, ia à igreja aos domingos sem vontade nenhuma, mas ia com medo, porque achava que, se não fosse, Deus me castigaria."

A pressão em cima de Amália para que fizesse tudo precisamente como seus discipuladores queriam chegou a tal ponto que ela passou a ver Deus como um sádico cruel e castigador e a igreja como um exército, cheio de regras e ordens a cumprir. "Certo domingo, duas irmãs vieram falar comigo e me mandaram orar. Quando chamei Deus de 'Pai', elas me confrontaram, questionando quem era eu para chamá-lo dessa maneira, pois eu não tinha esse direito, visto que estava 'caminhando para o inferno'." Amália conta que saiu desse encontro arrasada e se sentindo a última das criaturas. "Resolvi me afastar da igreja. Já que me sacrificava para ir aos cultos e, ainda assim, estava caminhando para o inferno, iria para o inferno sem precisar ir aos cultos."

Pressões como essas lembram os religiosos judeus da época de Jesus, que impunham exigências pesadíssimas ao povo. A respeito daqueles mestres da lei e fariseus, disse o Senhor: "Oprimem as pessoas com exigências insuportáveis e não movem um dedo sequer para aliviar seus fardos" (Mt 23.4). Como se pode ver, esse não é um problema novo, mas um vício que se repete onde há pessoas mais religiosas do que graciosas.

Uma das áreas em que as pressões mais ocorrem é a vida afetiva. Em muitas igrejas, existe uma pressão grande para que os solteiros namorem cedo, noivem o mais rapidamente possível e se casem logo, como se houvesse alguma doutrina que obrigasse as pessoas a preferir casar de modo precipitado a permanecer solteiro até uma idade mais madura. Infelizmente, essa pressão muitas vezes é feita de modo irrefletido e até desrespeitoso, e torna-se, por essa razão, danosa. Foi o que aconteceu com Carla, que se afastou da comunhão institucional depois de ter passado por problemas relacionados a essa área.

"Eu fazia parte de um ministério da igreja", explica. "O meu então namorado, que era um dependente químico em recuperação, voltou a consumir drogas e eu terminei o relacionamento, pois isso estava prejudicando minha fé e meu ministério. O término do namoro levou membros da igreja a me retaliarem. Chegou ao ponto de o pastor me excluir do ministério. Enfim, me chutaram feito cachorro morto." Hoje, Carla visita igrejas esporadicamente, mas, traumatizada, não quer se comprometer com nenhuma. "Não quero mais fazer parte de ministérios", conclui.

Aline passou por algo parecido. Tudo começou quando os irmãos e as irmãs começaram a fazer uma enorme pressão para que ela namorasse um amigo, que era apaixonado por ela. Aline lembra o que houve: "Começaram a surgir 'profecias', 'sonhos de Deus' e outros tipos de coisas que diziam que éramos o casal perfeito. Pressionada, me permiti me envolver por alguns dias, o que me trouxe um transtorno terrível. Quando enfrentei todos e pedi que parassem de me empurrar para o irmão e me deixassem em paz com relação a isso, fui condenada por ter 'partido um coração apaixonado'".

Aline se viu totalmente desamparada, acusada e constrangida. Irmãos e pastores a procuravam diariamente, insistindo em que ela namorasse o rapaz. "Eu não aguentei a pressão e larguei tudo. Abandonei o ministério que liderava, saí da igreja e fiquei um bom período sem querer saber de nada." Depois de passar um longo tempo distante de uma igreja, recentemente Aline começou a frequentar uma célula e a ir a um culto durante a semana, porém sem estabelecer laços mais aprofundados. "Não quero envolvimento. Prefiro manter minha vida em comunhão com Deus do meu jeito."

5
Falta de amor

Se alguém afirma: "Amo a Deus", mas odeia seu irmão, é mentiroso, pois se não amamos nosso irmão, a quem vemos, como amaremos a Deus, a quem não vemos? Ele nos deu este mandamento: quem ama a Deus, ame também seus irmãos.

1 João 4.20-21

Ser sal e luz significa fazer a diferença neste mundo. E não existe meio melhor de impactar outras vidas do que as amando. O cristão tem de ser acolhedor, preocupar-se com o bem-estar do próximo e viver em íntima conexão com as demais pessoas, chorando suas lágrimas e sorrindo suas alegrias. Se, contudo, em vez disso, torna-se indiferente ao próximo, falha e fere. Ainda mais se rejeita aqueles que mais precisariam ser abraçados pelos filhos de Deus. Tudo isso é sinal de ausência de amor, tema deste capítulo.

Machucados pela indiferença

Poucas coisas são mais destrutivas que a indiferença e a falta de amor no seio da igreja, justamente porque é o que a maioria dos recém-chegados imagina que vai encontrar. Muito se fala, na Bíblia e nos púlpitos, sobre a necessidade de comunhão, amor ao próximo, alegrar-se com quem se alegra e chorar com quem chora, além de outros conceitos cristãos que versam sobre a preocupação mútua entre os membros do corpo de Cristo. Por essa razão, ver-se isolado em meio à multidão ou perceber pouca ou nenhuma empatia com seus problemas dói como uma faca cravada fundo no estômago.

Janete mora em uma cidade do estado do Rio de Janeiro. Ela congregou por anos em uma igreja junto com sua mãe, que foi acometida por uma doença e perdeu a visão. Em meio a essa provação, Janete esperava receber carinho e apoio emocional dos irmãos, o que não aconteceu. "Isso me entristeceu. Poucas foram as pessoas que se importaram com a minha mãe. A igreja nunca exerceu de fato um papel de igreja na minha vida." A dor da indiferença foi tão grande que elas decidiram mudar de denominação, não sem carregar uma grande tristeza na alma.

Anos atrás, a tocantinense Kátia enfrentou uma avalanche de problemas. Muito ativa na igreja, ela decorava todos os eventos, liderava duas células e participava com gosto das atividades do calendário. Até que, com sérios conflitos no casamento, foi abandonada pelo marido, que a deixou sem dinheiro e desempregada, para se virar sozinha e cuidar dos filhos pequenos do casal. A situação piorou quando ela adoeceu e teve de ser internada. Apesar disso, nunca recebeu uma só visita dos pastores. "Uma irmã chamou a pastora para me visitar no hospital e ela respondeu que o Espírito Santo não a havia deixado ir", relembra, com tristeza.

Kátia entrou em depressão, perdeu onze quilos e, quando ficou com a dispensa totalmente vazia, foi até seu pastor pedir ajuda. Ela lhe relatou o que estava acontecendo e, ao final, o pastor disse que o caminho era ela lavar roupas para não passar necessidades. "Naquele momento, o mundo caiu sobre mim. Como eu imaginaria que ele me mandaria lavar roupas em vez de me acolher com amor? Eu precisava de cuidados, de palavras de amor e encorajamento. Comecei a ter ódio dele, saí da igreja e passei mais de dez anos longe da igreja."

Essa falta de acolhimento não é rara. Lucas é um rapaz que se classifica como "solitário". Ele relata que o começo de sua caminhada na fé foi difícil, pelo fato de ninguém da igreja buscar se aproximar dele nem demonstrar interesse por sua vida. "Eu me sentia sedento, com fome e confuso, pois não entendia nada e ninguém vinha até mim para me explicar, me orientar. Claro que fui para a igreja por causa de Jesus, mas pensava, também, que encontraria amor e consolo, o que não aconteceu."

A experiência deixa Lucas revoltado até hoje, pois ele afirma que constantemente vê pessoas novas e antigas na fé sozinhas e sem afeto dos irmãos. "Elas ouvem falar de um Deus de amor, se enchem de esperança de encontrar amor na sua família espiritual, mas encontram inimizades, inveja, fofocas e um monte de outras coisas, menos amor", diz.

Pastores também são vítimas da indiferença. Um exemplo é o pastor Leandro. Esse capixaba tinha uma visão bastante positiva da denominação de que fazia parte, até que, depois de pastorear por anos uma igreja, decidiu mudar-se com a família para outro estado, a fim de iniciar um novo trabalho. Leandro acreditava que estaria totalmente amparado emocionalmente. Para sua surpresa, a experiência foi decepcionante e dolorosa. "Em todos os anos em que estou na nova cidade, nunca recebi um telefonema sequer do meu líder, nem mesmo para saber como minha família e eu estamos", desabafa.

Tomado de um intenso sentimento de solidão e desamparo, Leandro entrou em depressão. O problema agravou-se quando ele começou a enfrentar dificuldades financeiras na vida pessoal e na manutenção do imóvel alugado da igreja. No início dos trabalhos, quando a membresia ainda era enxuta e a congregação não tinha como se sustentar por conta própria, Leandro encontrou amparo financeiro junto a colegas de ministério de bom coração, mas não recebeu nenhum tipo de incentivo ou apoio de sua liderança. Hoje, embora tenha um discurso conciliador, Leandro confessa ter profundas feridas na alma.

O teólogo e pastor Guilherme de Carvalho, diretor do centro de estudos L'Abri Brasil, ressalta que, no que se refere a indiferença, muitas pessoas são feridas nas igrejas por não receberem o reconhecimento devido, com base em 2Coríntios 12.11 e Filipenses 2.29. "É um tipo de indiferença branca, que afeta aqueles que são mais envolvidos no ministério. Pastores, missionários e voluntários frequentemente sofrem esse tipo de injustiça", afirma.

O livro *Os sem-igreja* relata depoimentos de sangrar o coração de pessoas transpassadas pela indiferença. Um irmão compartilhou: "Ficar em megaigrejas, onde somos apenas números ou 'recurso humano' para metas funcionais, onde ignoram meu nome e minha história? Nunca mais! Sinto repulsa só de continuar presenciando isso. Não quero mais me ferir, vou me preservar".

Já a viúva de um pastor relatou que, depois de quarenta anos de ministério, seu marido morreu sem reconhecimento e cuidado algum das igrejas onde pastoreou. "Nem em seu enterro compareceu alguém da instituição tradicional na qual serviu por muitos anos. Não o amaram como pessoa, nem se preocuparam conosco. Sinceramente, igreja como instituição, [...] nunca mais!".[1]

Esse tipo de postura indiferente no meio da igreja tem um enorme potencial destruidor. A Bíblia deixa claro que o amor de Deus só se faz presente no coração de quem não se mostra indiferente ao próximo. João escreveu: "Se alguém tem recursos suficientes para viver bem e vê um irmão em necessidade, mas não mostra compaixão, como pode estar nele o amor de Deus? Filhinhos, *não nos limitemos a dizer que amamos uns aos outros; demonstremos a verdade por meio de nossas ações*" (1Jo 3.17-18).

Machucados pela rejeição

O evangelho de Cristo tem padrões bem definidos. É esperado que o cristão aja de determinadas maneiras e apresente certos tipos de comportamento, coerentes com a ética cristã. Por isso, pessoas que não se enquadram no que delas se espera causam certa estranheza na igreja. A questão é: diante dessa situação, o que fazer? Rejeitar tais pessoas ou, com paciência, caminhar ao lado delas, acolhendo-as com graça, mas discipulando-as dentro da doutrina bíblica? Fato é que, muitas vezes, pessoas são machucadas na igreja porque não se enquadram em um perfil pré-determinado e, assim, acabam sendo segregadas, postas à margem e, até, humilhadas.

Depois de mais de quinze anos de casado, Felipe viu seu matrimônio ruir, após traições da parte dele e da esposa. Arrasado com o divórcio, procurou consolo e paz para sua alma na igreja. Lamentavelmente, em vez de ser acolhido, amado e discipulado, Felipe enfrentou grande rejeição. "Quando as pessoas sabiam que eu era divorciado, afastavam-se de mim e ficavam me olhando e julgando", explica. Ele não consegue esquecer a dificuldade que foi viver estigmatizado no lugar em que buscava restauração. "Dentro da igreja fui muito ferido por palavras e pelas atitudes das pessoas."

O divórcio também foi a causa da rejeição da paulistana Sheila. Junto com o marido, ela era muito ativa na igreja, onde atuava no louvor e na área de ensino. Após anos de casamento, Sheila descobriu que o marido cometia adultério com mais de uma mulher. Apesar de ter se esforçado por manter o matrimônio, o marido pediu divórcio litigioso e, assim, o casal acabou se separando. Foi quando o peso da rejeição veio sobre ela. "Durante todo o período de crise no meu casamento, sabe onde estava a igreja? Não estava! Ninguém me ajudou", relata.

Todo aquele processo lançou Sheila em depressão. Quando ela mais precisava de apoio, amor e acolhimento, o que encontrou foi decepção. Alvo de comentários maldosos dos irmãos, a pá de cal veio do pastor, que achou melhor tirá-la dos trabalhos que exercia na igreja. E não foi só isso: "O que mais me magoou foi saber que meu pastor reuniu alguns casais na igreja e pediu que se afastassem de mim com a justificativa de que não sou uma boa influência, já que eu hoje sou divorciada. Fiquei sozinha, me sentindo suja e indigna".

Sheila persiste em ir à igreja, por comprometimento a Cristo e porque deseja criar sua filha em um ambiente cristão, mas confessa que, por ela, "serviria a Deus em casa". "Quando estou na igreja, minha vontade é sair correndo, pois ouvir meu pastor pregar e ver os olhares tortos dos irmãos é perturbador. A igreja devia ser lugar de cura, e não local onde as pessoas se sentem menosprezadas e rejeitadas."

Mas não é apenas o divórcio que leva pessoas a serem socialmente isoladas em muitas igrejas. A área da sexualidade é especialmente propícia a causar rejeição. Irmãos e irmãs em Cristo que cometeram adultério ou que tiveram relações antes do casamento são dos que mais sofrem segregação em certos círculos eclesiásticos, por mais que tenham se arrependido e abandonado o pecado. Que dizer, então, de quem tem características tipicamente associadas aos homossexuais? É o caso de Túlio.

Convertido ao evangelho na adolescência, ele permaneceu por muitos anos debaixo do pastoreio dos mesmos líderes. "Sofri muito com a liderança da igreja por possuir um tom de voz e trejeitos que não são os de um machão, e por ter características que não são associadas ao universo masculino." Túlio assegura que é fiel a Deus em sua santidade, mas, mesmo assim, muitas vezes foi impedido de participar de atividades, como pregar nos encontros de jovens. Chegou ao ponto de ser proibido de usar blusa rosa ou uma marca específica de tênis, pois, segundo a liderança, essas são roupas de "pessoas afeminadas".

"Durante anos, fui ridicularizado, rotulado, estereotipado e marginalizado por ser apenas quem sou. Tudo o que eu fazia ou usava era motivo para me chamarem a atenção e me proibirem de realizar atividades", lembra Túlio. Ele chegou a ser removido de um cargo administrativo da igreja por causa de um telefonema que atendeu. "A pessoa com quem falei ao telefone perguntou ao pastor presidente, posteriormente, se a igreja era inclusiva, pois havia falado com um 'homem com voz de travesti'." A gota d'água foi quando sua liderança o proibiu de publicar textos e pregar em outras igrejas. "Disseram que, como eu tenho trejeitos, traria escândalo para a igreja." Hoje, o rapaz não congrega mais na igreja.

A esse respeito, no livro *Cristão homoafetivo?* o teólogo Lisânias Moura, pastor da Igreja Batista do Morumbi, em São

Paulo (SP), ressalta que dentro das igrejas há homossexuais "gritando silenciosamente", em clamor por acolhimento. Ele afirma que o trato com o *gay* deve ser equivalente ao dispensado a qualquer pessoa que ama Jesus e deseja participar da comunidade de fé, porém tem inclinações pecaminosas. Lisânias lança um desafio que confronta a rejeição no seio da igreja:

> Devo acolher em meu círculo de relacionamento quem quer que seja. Se quero refletir Jesus no mundo onde vivo, preciso acolher todos, sem ser preconceituoso. Assim, tratar o homoafetivo ou o diferente de mim de forma amorosa e ter disposição para servi-lo refletirá a pessoa de Jesus. Amar e servir ao próximo não significa ser conivente com o erro dele.[2]

Um dos grupos que mais são rejeitados nas igrejas é o das pessoas que cometeram pecados considerados escandalosos e a situação tornou-se pública. Mesmo que essa pessoa tenha se arrependido verdadeiramente, abandonado o pecado e pedido perdão a todos os envolvidos, é muito comum que, em vez de agir para promover a restauração plena daquela pessoa, muitos a segreguem e discriminem. Foi o que aconteceu com Luís.

Luís não esconde sua culpa e reconhece que cometeu adultério com uma irmã da igreja. O fato chegou ao conhecimento do conselho quando a questão já estava resolvida. "Fui chamado pelo pastor para uma conversa entre nós dois. Eu já estava arrependido de meu erro, já havia pedido perdão à minha esposa e ao marido da mulher com quem adulterei. Porém, nessa conversa fui chamado de 'cafajeste' e 'garanhão que relincha para a mulher dos outros'. Sempre que manifestava minha opinião, era interrompido pelo pastor, que dizia que eu não tinha direito de opinar no processo", lamenta.

Esse tipo de rejeição a cristãos que pecaram, mas se arrependeram, bate de frente com o que propõe o evangelho de Cristo:

> Irmãos, se alguém for vencido por algum pecado, vocês que são guiados pelo Espírito *devem, com mansidão, ajudá-lo a voltar ao caminho certo*. E cada um cuide para não ser tentado. Ajudem a levar os fardos uns dos outros e obedeçam, desse modo, à lei de Cristo. Se vocês se consideram importantes demais para ajudar os outros, estão apenas enganando a si mesmos.
>
> Gálatas 6.1-3

Ferido pela forma como foi tratado, Luís não conseguiu mais continuar naquela igreja. "Graças a Deus, fui acolhido em outra comunidade, que entende que a solução para quem pecou não é ficar punindo, mas caminhar e ajudar quem caiu a se levantar."

PARTE 2

Verdades

Verdades

substantivo feminino plural

1 propriedade de estar conforme com os fatos ou a realidade

2 coisas, fatos ou eventos reais

3 quaisquer ideias, princípios ou julgamentos aceitos como autênticos; axiomas

4 procedimentos sinceros, pureza de intenções

As razões que levam pastores e "ovelhas" a se ferir no ambiente eclesiástico parecem não ter limites. Qualquer que seja o tipo de problema, a triste realidade é que há muitos soldados do exército de Cristo que necessitam desesperadamente de cura. Muitos machucados sofridos na comunidade de fé são tão graves que geram na pessoa ferida uma dor equivalente à do luto pela perda de um ente querido. A psicóloga presbiteriana Alda Fernandes confirma a importância de enfrentar essa dor: "Sem dúvida, existe, sim, a necessidade do luto, pois o ferido na igreja 'perdeu' algo. Negar a dor, a decepção e a mágoa é simplesmente tamponar esses sentimentos, o que possivelmente provocará adoecimento em várias áreas".

Alda fala com propriedade, pois vivenciou na própria pele situações dolorosas de perda. Ex-esposa do pastor Caio Fábio D'Araújo, fundador do movimento Caminho da Graça, ela viveu uma experiência pessoal de luto quando, em 2004, um dos filhos do casal foi atropelado e perdeu a vida, com apenas 22 anos: "Cada pessoa tem sua forma de lidar com o luto. Quando perdi meu filho, vivenciei esse luto por longo tempo, um processo de adaptação à ausência, de se desprender do que não temos mais, todavia mantendo no coração a essência do sentimento sadio. Ou seja, meu filho está na minha memória todos os dias, mas sua ausência não é geradora de sofrimento".

Alda explica que, da mesma forma, indivíduos que perderam a confiança em outras pessoas ou na igreja devem manter viva a crença na bondade humana e no evangelho, "sem permitir que a dor da decepção mate também a fé". Felizmente, essa postura é possível, pois, apesar da dor e do luto, há um caminho bíblico para a cura, que é aplainado pela percepção de algumas verdades sobre o pecado e a igreja.

Nos capítulos a seguir, quero convidar você a analisar essas verdades.

6
O grande culpado

....

Pois todos pecaram e não alcançam o padrão
da glória de Deus.

ROMANOS 3.23

Você foi machucado na igreja? Se foi, gostaria de lhe pedir, por favor, que pense em quem foi responsável por machucá-lo. Pensou?

Eu arriscaria dizer que o que veio à sua mente foi a imagem de uma ou mais pessoas. Dependendo do caso, é provável que tenha visualizado mentalmente um pastor, líder ou outro irmão em Cristo que fez ou falou algo e, com isso, magoou profundamente a sua alma. Se eu estiver correto nessa suposição, gostaria de lhe dizer que, caso queira que a sua ferida cicatrize e você seja liberto da dor que sente, antes de mais nada precisa mudar essa forma de enxergar o problema.

Para que sejamos curados de machucados sofridos no ambiente eclesiástico, a primeira coisa que devemos saber é que as pessoas que nos feriram não são as grandes responsáveis pela nossa dor. O principal culpado é um monstro sanguinário, assassino, manipulador e destruidor de vidas e relacionamentos. Seu nome?

Pecado.

Sim, o culpado pelo seu machucado não é, em primeiro plano, o indivíduo que feriu você; é o pecado que habita no coração dele, a inclinação natural de toda pessoa para fazer aquilo que não agrada a Deus. E, quando me refiro a "pecado", não estou personificando uma entidade etérea, mas apontando para a terrível e dominadora força que entrou em nossa vida por meio da desobediência de Adão. É uma força extraordinariamente potente, que, à parte de Deus, tem a capacidade de cegar e manipular, a fim de que realizemos aquilo que não glorifica o Senhor nem edifica o próximo. O pecado é um sabotador, que replica a essência do maligno.

Afirmar isso não é, como muitos poderiam pensar, uma forma de simplificar o problema, ser complacente com quem teve atitudes nocivas ou tentar livrar pessoas do peso da culpa; é, isto sim, diagnosticar uma profunda realidade espiritual, com o objetivo de apontar o caminho correto e bíblico para a cura das feridas. Kevin DeYoung destaca que um aspecto essencial na doutrina do pecado original é que ela concentra a atenção em questões que são um pouco mais atemporais.

> As pessoas sempre serão pecadoras. Desse modo, nosso principal problema não é falta de integração ou equilíbrio, falta de sucesso ou educação, nem mesmo pobreza e injustiça, por mais sérios que esses problemas possam ser. Nosso principal problema sempre será o pecado.[1]

Compreenda que há uma diferença sutil, mas fundamental, entre o pecado e a pessoa que o praticou, como veremos adiante. É, mal comparando, a mesma diferença que há entre um motorista e o carro que ele dirige quando avança o sinal vermelho e atropela uma pessoa. O carro não foi o culpado primordial e, embora tenha sido o meio para a realização do mal, foi apenas um instrumento que o motorista usou para cometer aquele horror. É evidente que o carro teve participação, mas ele foi movido por uma força que pisou no acelerador, virou e volante e, assim, comandou suas atitudes.

Esse entendimento é essencial para sarar as feridas causadas por outros cristãos no ambiente da igreja. Por quê? Porque, quando você atribui a responsabilidade de seus machucados exclusivamente às *pessoas* que o feriram, a cura dos seus ferimentos dependerá necessariamente de algo que *elas* venham a fazer no intuito de corrigir o erro que cometeram e de se retratar. Se a responsabilidade é unicamente dos indivíduos, eles se tornam os únicos capazes de dar o passo necessário para a cura das suas feridas. Com isso, a cicatrização não acontecerá enquanto *eles* não fizerem algo para se redimir dos atos que cometeram, como lhe pedir perdão ou vir a público reconhecer que erraram com você.

Lembre-se, o carro não é o responsável pelo avanço do sinal e o atropelamento. Ele foi uma ferramenta para o verdadeiro culpado: o motorista. Se você ficar esperando que o carro se retrate pelo erro cometido, pode ser que espere o resto da vida. Aplicando essa analogia à vida espiritual, a pessoa que feriu você é o carro e o pecado é o motorista. "Aonde quer que formos, o pecado nos acompanhará, como se estivesse amarrado ao nosso pé, atrapalhando nossa caminhada pelas estradas da vida", constata o cientista da religião Rivanildo Guedes.[2]

Na maioria das vezes, as pessoas que feriram você não se mexerão para corrigir o mal que lhe fizeram. E isso por inúmeras razões: elas podem nem se dar conta de que o machucaram, ou acreditam que não fizeram nada de mais, ou creem que você é que estava errado. E o não reconhecimento da parte delas de que têm culpa no cartório fará que você saia da situação machucado, ressentido e irado, enquanto o indivíduo que o machucou seguirá com a vida tranquilamente, sem fazer nenhum tipo de reparação.

Porém, se você compreende que, em primeiro plano, o real culpado pela sua ferida não foi o pastor que lhe foi desleal, o irmão que o acusou ou a irmã que sumiu com o seu dinheiro, mas essa força espiritual destruidora e diabólica que é o pecado que habita neles, fica muito mais fácil superar o problema, pois, aí sim, há algo que *você* poderá fazer para ter paz sem depender de ninguém. Na verdade, ao alcançar essa percepção, *a cura das feridas só dependerá de você e não do seu ofensor*, como veremos mais adiante.

É possível que você esteja pensando: "Zágari, dizer isso é fácil! Claro que o culpado é, sim, fulano ou beltrano, esse papo não tem nada a ver. Pare de tentar aliviar a barra dos desalmados que me machucaram!". Se esse é o caso, precisamos ir à Bíblia. São as Escrituras que nos mostram a verdade: as pessoas que o ofenderam são marionetes manipuladas por esse mal maior chamado pecado. Ele é o real inimigo. A fim de compreender essa afirmação, vamos analisar a vida de um sujeito chamado Paulo de Tarso.

Escravo do pecado

Paulo era um cara ruim, que fazia muito mal aos discípulos de Cristo. Era um perseguidor de cristãos, daqueles que, se você visse ao longe, atravessaria para a outra calçada da rua. O homem perseguia os cristãos, os arrastava para o cárcere e os conduzia à morte.

Mas, então, na estrada a caminho de Damasco, Jesus virou Paulo pelo avesso, estendeu-lhe a graça e o salvou. Ele tornou-se, então, o apóstolo Paulo, autor canônico, um dos homens mais importantes da história da Igreja, santo redimido pelo sangue de Cristo, dono de uma confiança inabalável no Senhor, agraciado com a dádiva de receber revelações espetaculares da parte de Deus (2Co 12.2-4).

As cartas de Paulo não deixam dúvidas de que ele via a santidade como algo imprescindível à vida do cristão, como quando escreveu: "Pois bem, devemos continuar pecando para que Deus mostre cada vez mais sua graça? Claro que não! Uma vez que morremos para o pecado, como podemos continuar vivendo nele? [...] Pois, quando morremos com Cristo, fomos libertos do poder do pecado" (Rm 6.1-2,7).

No entanto, somos confrontados com declarações de Paulo que nos constrangem pela sua total e rara sinceridade acerca do poder do pecado sobre sua própria vida. Mesmo que você já conheça esta passagem extremamente reveladora da Bíblia, peço que leia o que ele escreveu, sem pressa e com atenção a cada palavra:

O problema não está na lei, pois ela é espiritual e boa. O problema está em mim, pois sou humano, escravo do pecado. Não entendo a mim mesmo, pois quero fazer o que é certo, mas não o faço. Em vez disso, faço aquilo que odeio. Mas, se eu sei que o que faço é errado, isso mostra que concordo que a lei é boa. Portanto, não sou eu quem faz o que é errado, mas o pecado que habita em mim.

E eu sei que em mim, isto é, em minha natureza humana, não há nada de bom, pois quero fazer o que é certo, mas não consigo. Quero fazer o bem, mas não o faço. Não quero fazer o que é errado, mas, ainda assim, o faço. Então, se faço o que não quero, na verdade não sou eu quem o faz, mas o pecado que habita em mim.

Assim, descobri esta lei em minha vida: quando quero fazer o que é certo, percebo que o mal está presente em mim. Amo a lei de Deus de todo o coração. Contudo, há outra lei dentro de mim que está em guerra com minha mente e me torna escravo do pecado que permanece dentro de mim. Como sou miserável! Quem me libertará deste corpo mortal dominado pelo pecado? Graças a Deus, a resposta está em Jesus Cristo, nosso Senhor. Na mente, quero, de fato, obedecer à lei de Deus, mas, por causa de minha natureza humana, sou escravo do pecado.

Romanos 7.14-25

Uau! Que palavras. Quanta sinceridade. Que clareza de entendimento acerca de si mesmo. Paulo era qualquer coisa, menos um "santarrão". Leio essas palavras e lembro-me de uma das mais extraordinárias parábolas de Jesus. Dois homens, um fariseu e um cobrador de impostos, foram ao templo orar. O fariseu dizia: "Eu te agradeço, Deus, porque não sou como as demais pessoas: desonestas, pecadoras, adúlteras. E, com certeza, não sou como aquele cobrador de impostos. Jejuo duas vezes por semana e dou o dízimo de tudo que ganho" (Lc 18.11-12). Ele era *o cara.* Um verdadeiro cidadão de bem! Já o cobrador de impostos, pobrezinho, ficou a certa distância e não tinha coragem nem de levantar os olhos para o céu enquanto orava. Em vez disso, batia no peito e dizia: "Deus, tem misericórdia de mim, pois sou pecador" (v. 13). Sabe o que parece? Que esse cobrador de impostos poderia facilmente ser o apóstolo Paulo. Ambos tinham a mesma clareza acerca de si mesmos.

É importante perceber que, quando escreveu essas assombrosas palavras, por volta do ano 57 d.C., Paulo já era um cristão, salvo havia um bom tempo. Porém, inspirado pelo

Espírito Santo, ele faz uma confissão que poucos em nossos dias teriam coragem de fazer, e que nos ensina algumas questões importantes sobre a dinâmica do pecado na vida do cristão. Vamos destacar alguns pontos centrais das revelações do apóstolo:

- *"O problema está em mim, pois sou humano, escravo do pecado"*: Por serem humanos, cristãos carregam em si a inclinação para o pecado, como um incômodo carrapato que teima em não se soltar da pele. Só estaremos totalmente livres dessa influência na eternidade, após nossa partida desta vida, quando ficaremos livres do "corpo mortal dominado pelo pecado".
- *"quero fazer o que é certo, mas não o faço. Em vez disso, faço aquilo que odeio"*: O cristão muitas vezes toma atitudes erradas, que o deixam constrangido, confuso e triste consigo mesmo, visto que o Espírito Santo que habita nele o faz odiar o pecado que pratica. Não é à toa que Paulo chama a vida dos filhos de Deus de "bom combate" (1Tm 1.18; 6.12; 2Tm 4.7), pois há uma luta diária a ser travada entre nossa natureza carnal e nossa natureza espiritual.
- *"Portanto, não sou eu quem faz o que é errado, mas o pecado que habita em mim"*: Eis a verdade. Paulo estabelece aqui, com total clareza e sem sombra de dúvida, que o grande responsável por seus erros e maus procedimentos não é ele como indivíduo, mas o pecado que contamina seu coração. O mesmo vale para cada um de nós.
- *"Quem me libertará deste corpo mortal dominado pelo pecado?"*: Chegamos ao ponto central da questão. Cristãos pecam porque carregam dentro de si a inclinação para

o pecado, gerada por sua natureza humana. Ao dar vazão a essa inclinação, eles se distanciarão da vontade divina e, com isso, o padrão do início da humanidade se repetirá, como foi com Caim e Abel: dominados e controlados pelo pecado, irmãos machucarão irmãos. O resultado? Dor, mágoa, isolamento, atritos, lágrimas — *machucados*.

A psicóloga e teóloga Karen Bomilcar ratifica: "Uma das principais dificuldades no estabelecimento de relações autênticas, transparentes e significativas é a presença de pecado em nossos corações, que conduz ao desejo de independência e que nos leva ao individualismo radical".[3] O reformador João Calvino pôs a questão em poucas palavras: "Ainda que o pecado não reine, ele continua a habitar em nós".[4]

Ao tomar consciência dessa realidade, chegamos ao entendimento da primeira verdade sobre a situação que provocou o seu ferimento na igreja:

> O grande culpado pelo seu machucado não são as pessoas, mas o pecado que habita nelas. Compreender isso faz que sua cura não dependa de seu ofensor fazer algo para se redimir, mas põe em suas mãos os meios de obter a cura da sua alma ferida.

7
Examine a si mesmo

Se examinássemos a nós mesmos, não seríamos julgados dessa maneira. Mas, quando somos julgados pelo Senhor, estamos sendo disciplinados para que não sejamos condenados com o mundo.

1Coríntios 11.31-32

Se está lendo este livro, creio que em algum ponto de sua jornada você foi machucado na igreja. Talvez esteja imaginando que vamos falar apenas sobre as pessoas que o machucaram, mas, para que você possa ser curado, é necessário pôr debaixo dos holofotes não apenas os defeitos dos outros, mas também os seus, com total sinceridade. Pois longe da verdade não há cura. Portanto, permita-me, por favor, falar sobre os seus e os meus pecados.

Sei que dizer isso pode ser desagradável, mas, por mais que doa, é importante, tal qual tomar uma injeção: embora arda um pouco, traz grandes benefícios.

Em razão dos machucados que sofreu no contexto eclesiástico, você provavelmente passou a enxergar com desconfiança líderes de denominações, pastores, coordenadores de departamentos ou demais irmãos das igrejas. É possível que os veja como hipócritas, mentirosos, fracos, legalistas, opressores, autoritários, arrogantes ou coisa que o valha. Talvez os enxergue, até, como falsos mestres, instrumentos do diabo infiltrados no corpo de Cristo. Se é o caso, gostaria de pôr em prática algo que a Bíblia nos orienta a fazer: examinar a nós mesmos, com honestidade e transparência.

Examine-se e responda com franqueza: você é perfeito? Vive sua fé de forma irreparável, em santidade total, sem nenhuma atitude reprovável? Será que você e eu somos capazes de afirmar que jamais mentimos, nunca tivemos atitudes erradas, em nenhum momento deixamos o pecado que há em nosso coração guiar nossas ações e palavras e, em consequência, magoamos alguém? Se você e eu deixamos de agir de acordo com as virtudes esperadas do cristão e pecamos contra nosso próximo, temos de lembrar que as Escrituras afirmam que aquele que "obedece a todas as leis, exceto uma, torna-se culpado de desobedecer a todas as outras" (Tg 2.10).

Cometer um único pecado já nos torna culpados aos olhos de Deus. E, precisamos reconhecer, *todos* pecamos. Nenhum de nós é melhor que ninguém, nem menos culpado. Só o sangue de Cristo nos purifica. A conclusão é que você e eu pecamos diariamente, porém cometemos pecados diferentes dos praticados por quem nos machucou na igreja.

Tanto é assim que o apóstolo João denuncia: "Se afirmamos que não temos pecados, enganamos a nós mesmos e não vivemos na verdade. [...] Se afirmamos que não pecamos, chamamos Deus de mentiroso e mostramos que não há em nós lugar para sua palavra" (1Jo 1.8,10).

Palavras duras? Sem dúvida. Mas verdadeiras e visceralmente bíblicas.

Por que estou fazendo essa "maldade" de apontar a realidade de que você e eu somos falíveis e donos de um longo histórico de pecados? Porque, para vivermos na verdade, precisamos reconhecer que cometemos pecados cotidianamente. Se negarmos isso, as Escrituras afirmam que nos tornamos inimigos e acusadores de Deus e de sua palavra. Como asseverou Kevin DeYoung: "A doutrina do pecado original nos força a olhar de maneira mais honesta para nós mesmos e para o restante do pecado que habita em nós. Isso serve para todos — os que amam a igreja e os que a estão deixando".[1]

Portanto, o único caminho para o cristão sincero é reconhecer seus pecados e confessá-los, admitindo que, a exemplo da pessoa que o machucou na igreja, também é falível e muitas vezes comete erros, transgride os mandamentos divinos, age de acordo com impulsos carnais, tem atitudes e pensamentos maus e faz aquilo que magoa e fere outras pessoas. Eu fui machucado, sim, mas também já machuquei.

Sei que é difícil ouvir isso. Acredite, eu também não gosto, mas... quem poderia negar esse fato bíblico incontestável? Nenhum de nós pode! Afinal, assim como Paulo, você e eu também estamos presos neste "corpo mortal dominado pelo pecado".

Logo, tanto você quanto eu e quem o machucou cometemos pecados e dependemos do sangue de Cristo para receber o perdão. Só Cristo nos justifica. Só Cristo nos dignifica. Necessitamos diariamente da intercessão do Filho junto ao Pai a fim de recebermos o perdão por nossos deslizes, nossas tolices e nossas desobediências.

A conclusão? Estamos todos no mesmo barco. Por quê? Porque todos temos inclinação para o pecado, como consequência de nossa natureza humana, e o pecado que habita em quem nos machucou também habita em nós. A exemplo de Paulo, todos podemos dizer: "Amo a lei de Deus de todo o coração. Contudo, há outra lei dentro de mim que está em guerra com minha mente e me torna escravo do pecado que permanece dentro de mim". Brennan Manning é assertivo ao alertar contra a negação desse fato: "Valemo-nos de um elegante disfarce para projetar uma imagem positiva de nós mesmos — ou pelo menos uma imagem diferente daquilo que realmente somos. O autoengano financia nossa pecaminosidade e nos impede de nos enxergarmos como realmente somos: maltrapilhos".[2]

O pecado nos iguala

Por mais que uma pessoa nos faça mal, devemos procurar enxergá-la não como um canalha, um safado, mas como alguém espiritualmente doente, vítima do pecado que a dominou e manipulou.

O pecado é como uma doença maligna, intoxicante, que afeta mente, coração, corpo, isto é, adoece o ser por inteiro. O Espírito Santo em nós é o antídoto que nos ajuda a continuar caminhando, apesar de o pecado permanecer dentro de nós. Eu sofro da doença do pecado e por isso preciso de Deus e de sua ação graciosa em mim. Você também. Quem o machucou também, mesmo que não se dê conta disso. Portanto, compreender a minha doença, que só me dá possibilidade de seguir vivendo debaixo do sangue de Cristo, me faz ter um olhar de muito mais graça com relação a quem me feriu, que tem a mesma necessidade de Deus e de redenção que eu.

O escritor cristão Philip Yancey relata que desenvolveu o hábito de orar, sempre que encontra alguém cujo comportamento o ofende ou revolta, dizendo: "Deus, ajude-me a ver esta pessoa não como alguém repulsivo, mas como uma pessoa sedenta". Ele enfatiza: "Quanto mais orava assim, mais me via do mesmo lado da pessoa que me causava repulsa. Eu também não tinha nada a oferecer a Deus, senão minha sede".[3]

Eu compartilho dessa visão. E ela me leva a olhar para quem nos machuca com graça e não com pretensa superioridade moral. Pois nosso ofensor é afetado pelo mesmo mal que nós: o pecado, que cega o nosso entendimento. Creio que foi por isso que Jesus disse que os pecadores que o torturaram e executaram não sabiam o que faziam (Lc 23.34). Eram doentes. Sedentos. Marionetes nas mãos do verdadeiro vilão. Assim como eu. Assim como você.

Essa compreensão nos humilha. Consequentemente, faz de nós pessoas mais humildes, por reconhecermos que, tal qual a pessoa que nos machucou na igreja, temos muitas falhas e cometemos muitos pecados — porém, são simplesmente pecados diferentes. Jesus falou de forma transparente sobre essa questão. Ele questionou por que nos preocupamos com o cisco no olho de nosso amigo enquanto há um tronco em nosso próprio olho:

> Como pode dizer a seu amigo: "Deixe-me ajudá-lo a tirar o cisco de seu olho", se não consegue ver o tronco em seu próprio olho? Hipócrita! Primeiro, livre-se do tronco em seu olho; então você verá o suficiente para tirar o cisco do olho de seu amigo.
>
> Mateus 7.4-5

A ordem bíblica não é deixar de ver o erro do próximo, mas nos examinarmos constantemente e sempre nos submetermos, com humildade, ao mesmo critério que queremos usar para medir e avaliar o procedimento e as palavras dos outros. Por essa razão, precisamos nos preocupar constantemente em, primeiro, remover a trave do nosso olho — isto é, corrigir o nosso caminho e reformar a nossa conduta — e, só então, apontar os erros do outro.

A cura dos machucados sofridos na igreja só vem para aqueles que tratam desse problema com total humildade e transparência. Precisamos reconhecer: todos falhamos. Todos erramos. Todos pecamos. E, ao incorrer em pecado, nós nos tornamos dependentes da misericórdia divina. Sem ela, viveremos imersos em culpa. Logo, se machucamos Deus com nossos pecados, mas somos beneficiados por seu amor, sua graça, sua misericórdia e seu perdão, como pessoas que devem imitar Cristo não deveríamos também estender amor, graça, misericórdia e perdão a quem pecou contra nós?

Ao assumir a postura exclusiva de vítimas, de inocentes em tudo o que pensam, falam, fazem ou se omitem de fazer, de santos acima de qualquer suspeita ou culpa... será que não estamos vendo o cisco no olho de quem nos machucou e nos esquecendo do tronco que há no nosso?

Se você tiver a humildade e a sinceridade de reconhecer esse problema, terá compreendido a segunda verdade acerca dos machucados sofridos na igreja:

> Nós também pecamos e precisamos diariamente de graça e perdão. Portanto, se fomos perdoados por Deus quando menos merecíamos, o que nos impede de estender a mesma graça a quem nos ofendeu?

8
Expectativas irreais

....

Como afirmam as Escrituras: "Ninguém é justo, nem um sequer. Ninguém é sábio, ninguém busca a Deus. Todos se desviaram, todos se tornaram inúteis. Ninguém faz o bem, nem um sequer".

ROMANOS 3.10-12

A igreja é um ambiente naturalmente associado à pureza e à beleza das boas-novas de Cristo, a maior mensagem já proferida sobre amor, restauração, esperança, paz, bondade, caridade, justiça e outras virtudes. É compreensível, portanto, que um recém-chegado suponha que ali encontrará somente pessoas que vivam por essa mensagem e a pratiquem de fato no dia a dia. Esse pensamento, paradoxalmente, está na base do problema dos machucados no ambiente eclesiástico: a expectativa irreal de que a igreja é formada somente por pessoas que cumprem com perfeição os mandamentos bíblicos e, assim, tornam-se angelicais, inerrantes, irretocavelmente piedosas e incapazes de machucar alguém.

Por que essa expectativa é irreal? Porque, embora na igreja se pregue, sim, a boa-nova da salvação e se valorizem todas as virtudes cristãs, aqueles que ali estão são pessoas de carne e osso, iguaizinhas a você e a mim. O que encontramos em qualquer congregação cristã são multidões de "paulos" que, a exemplo do apóstolo, carregam em sua natureza humana a inclinação ao pecado. Como já vimos, todo (todo!) cristão poderia dizer, como Paulo: "Na mente, quero, de fato, obedecer à lei de Deus, mas, por causa de minha natureza humana, sou escravo do pecado". Eu posso. Você pode. Todos os membros, pastores e líderes de qualquer igreja podem.

A expectativa é irreal porque o convertido crê que na igreja só lhe farão bem, rirão seus risos e chorarão suas lágrimas, mas o que encontra é, na realidade, uma multidão de seres humanos que habitam corpos mortais dominados pelo pecado. Que choque! Quando, por fim, o indivíduo começa a observar comportamentos e atitudes em desacordo com os padrões bíblicos (que ocorrerão!), a decepção é grande e, com ela, vêm os machucados.

É como se os indivíduos criassem uma expectativa tão elevada dos pastores, líderes e demais irmãos em Cristo que, quando caem em si e despencam desse mundo de ilusão em direção ao chão da realidade, o baque é mais forte do que poderiam suportar. O resultado: acabam machucados.

"Muitas pessoas se decepcionam na igreja por esperar demais de uma instituição constituída de seres humanos imperfeitos que erram, sujeitos a egoísmo, impaciência, indiferença, discriminação, arrogância e outros males", explica a psicóloga Alda Fernandes. "Quando a decepção acontece, normalmente elas colocam todos no mesmo saco. Se um indivíduo as enganou, não foi o Zé das Couves, mas 'os cristãos, que são enganadores'."

Alda lembra que há também aqueles que chegam à igreja sem nenhuma defesa, crendo que tanto os líderes quanto a doutrina estabelecida são a "voz de Deus na terra". Tornam-se, com isso, vulneráveis a manipulações e incoerências pelo fato de não questionarem ou refletirem, aceitando como verdade qualquer informação apresentada. "Quando a pessoa ferida reconhece essas realidades, simplesmente se posiciona de forma diferente, podendo, assim, estabelecer vínculos maduros, na mesma instituição religiosa ou em outra. Essa consciência também permite que a prática do perdão se torne mais fácil e que a visão da Igreja invisível se torne mais clara e sem contaminações."

Por mais que o corpo de Cristo tenha problemas, é importante lembrar que é melhor estar ligado a ele do que afastado. Concordo com o escritor e teólogo Henri Nouwen, para quem a Igreja, mesmo com todas as suas falhas, representa um porto de esperança e conforto. Ao falar sobre Nouwen, o escritor Philip Yancey lembra:

> Ele via os resultados da falta de fé em sua família, materialmente próspera, mas espiritualmente vazia, e nos alunos das universidades de elite, angustiando-se com a falta de resposta a seus questionamentos sobre o sentido da vida. Nouwen nunca se tornou um propagandista da Igreja, mas certamente apontou o caminho na direção de uma comunhão com Deus.[1]

É interessante notar que, se a pessoa que foi ferida na igreja sofresse o mesmo tipo de ferimento em ambientes "seculares", como o trabalho, o clube, a universidade, a colônia de férias ou o restaurante, aquela ofensa não a machucaria tanto. Por quê? Porque todos sabemos que o que vigora na sociedade como um todo não necessariamente é um comportamento ético e amoroso.

Essa realidade nos prepara de antemão para conviver com pessoas que têm más atitudes com certo grau de indignação, mas sem que isso nos traumatize demais. Ninguém acha que na empresa em que trabalha só encontrará gente do bem. Nós sabemos que por toda parte existem indivíduos egoístas, desagradáveis, desequilibrados, arrogantes, agressivos e manipuladores — ou, simplesmente, maus. A vida nos prepara para conviver com pessoas assim, sem esperar muito delas.

"Ali não se espera nada disso, muito pelo contrário, espera-se competição, autoritarismo, discriminação e rigidez", afirma Alda. "No ambiente eclesiástico espera-se o céu na terra, então a queda emocional é muito maior." Todos já esbarramos em gente que fura fila na farmácia, nos atropela com o carrinho no supermercado, para na nossa vaga no estacionamento, nos irrita com música alta no apartamento ao lado, bate nossa carteira no ônibus, nos trata com arrogância e antipatia na sala de espera do médico e coisas assim. Afinal, "Sabemos que somos filhos de Deus e que o mundo inteiro está sob o controle do maligno" (1Jo 5.19).

Porém, na igreja... aí não! Não esperamos encontrar esse tipo de problema onde as pessoas se cumprimentam dizendo "a paz do Senhor", "graça e paz" ou "paz e bem". Nesse ambiente, as expectativas são altas, porque trata-se de um lugar em que todos sabem que deve prevalecer uma filosofia de amor ao próximo, verdade inegociável e ajuda mútua. Portanto, ninguém entra numa igreja pronto a lidar com pessoas que, dominadas pelo pecado, muitas vezes têm atitudes horríveis, egoístas, despóticas, agressivas, indiferentes e dolorosas.

Lamentavelmente, é exatamente isso o que a pessoa encontrará, com frequência incômoda, como lembra o pastor e teólogo Paulo Romeiro em seu livro *Decepcionados com a graça*. Ele afirma que, a princípio, pode parecer um paradoxo, já que o senso geral é de que as igrejas são espaços terapêuticos e de libertação: "A igreja é o último lugar onde se espera deparar com frustrações, compreensivelmente presentes no âmbito esportivo, político, familiar e profissional. Entretanto, elas se fazem presente na igreja, como a esperança também está nas demais áreas da vida".[2]

Alda Fernandes concorda que feridas sofridas no ambiente eclesiástico causam um impacto diferenciado: "Sim, é um fato, porque, no âmbito eclesiástico, espera-se ver Jesus em cada pessoa. A expectativa também é ouvir Deus no púlpito, e nem sempre isso acontece. Sendo assim, as expectativas vão muito além da realidade".

O entendimento que tivemos no capítulo anterior, de que todos carregamos falhas em nossa santidade em decorrência do pecado que temos em nós, é fundamental porque, se uma pessoa se examina e percebe que é cheia de defeitos, consequentemente se dará conta de que os demais membros da igreja em que congrega são exatamente como ela. Falíveis. Sujeitos ao erro. Eu sei que não sou perfeito, que tenho inclinações para o mal, que sou tentado diariamente a ceder na santidade e, muitas vezes, por mais que não queira, cedo. Você não?

Por que, então, as pessoas que convivem conosco no ambiente eclesiástico seriam diferentes? "As expectativas não são irreais somente porque as pessoas que estão na igreja são falhas e pecam, mas porque o ser humano como um todo é assim. Não podemos depositar em seres humanos expectativas que seres humanos não são capazes de cumprir", reforça o pastor Marco Antonio de Araujo, da Igreja Cristã Nova Vida em Copacabana, no Rio de Janeiro (RJ). Ele lembra que nem mesmo Deus supre todas as nossas expectativas. "Muitas vezes, esperamos de Deus o que ele não fará. Que dirá então dos seres humanos!"

Tenha em mente que os irmãos e as irmãs da igreja são contradições ambulantes, que vivem num cabo de guerra entre o que creem e o que sua carne os empurra a fazer. São morada do Espírito Santo, mas habitam um corpo mortal dominado pelo pecado — assim como eu, Paulo e... *você*. Qualquer expectativa diferente dessa é irreal e provocará frustrações, decepções e machucados. Se você ainda não se deu conta disso, preciso lhe dizer que isso é o que significa ser humano. Que o diga Davi, homem segundo o coração de Deus, mas adúltero, assassino e soberbo. Ou o dissimulado pai da fé, Abraão. Ou Salomão, o homem mais sábio que já existiu, embora tenha se tornado idólatra. Humanos. Simplesmente... *humanos*.

Assim, é fundamental ter uma visão realista do que, de fato, é uma igreja — mais, ainda, do que é *a Igreja*. Um olhar romântico e utópico vê uma grande nuvem, branca e fofa, cheia de anjinhos sem pecado, sem falhas, sem nenhum potencial de decepcionar os outros. Já um olhar realista revela uma assembleia de pessoas habitadas pelo pecado que, por terem sido salvas por Deus, são moradas do Espírito Santo, o que gera nelas um conflito constante entre "fazer o que é certo" e "fazer aquilo que odeio", como disse Paulo.

Kevin DeYoung escreveu sobre uma realidade que todos podemos identificar em nossa experiência na igreja. Ele admitiu que, em menos de uma década de ministério, viu pastores se divorciando, líderes viciados em álcool ou medicamentos, pastores estafados, conflitos entre líderes, facções na igreja, brigas "estúpidas" por causa de estantes de partituras e estilos musicais, cristãos preguiçosos ou hipócritas, jogos de poder, lutas pelo poder, falta de sinceridade, insegurança e "uma centena de outras acusações legítimas sobre a igreja". Com honestidade, DeYoung revela: "Já fui ferido na igreja e seria ingenuidade minha achar que nunca machuquei pessoas na igreja". Ele reconhece que essa realidade é triste e não deveria ser assim, mas deixa claro que "não deve ser assim" não é o mesmo que "não será assim".

É certo que algumas igrejas são melhores e mais saudáveis que outras. O objetivo é crescer em piedade. Porém, a igreja estará cheia de pecado, uma vez que está cheia de pecadores — que é mais ou menos o que penso. É mais que irônico que as mesmas pessoas que querem que a igreja abandone a imagem falsa e artificial e se torne um céu para os pecadores feridos e imperfeitos estejam prontas para sair da igreja no momento em que ela está ferida, é imperfeita e cheia de pecado.[3]

É desta perspectiva que a igreja deve ser vista: como um local onde pessoas absolutamente falíveis se reúnem para adorar o Infalível, onde seres humanos cheios de defeitos buscam se aproximar do Cordeiro sem mancha, onde indivíduos transbordantes em contradições, ansiedades, questionamentos, erros e falhas de caráter se encontram para cultuar o Deus gracioso, amoroso, perfeito, maravilhoso, adorável, gentil e inigualável.

Em outras palavras, a igreja é o local em que a imperfeição humana se conecta ao único que possui a perfeição divina. O apóstolo João, na visão de Apocalipse, apresentou esse contraste entre o Criador e a criatura, ao ver um homem sentado no trono em cuja mão havia um livro escrito por dentro e por fora e lacrado com sete selos. Em seguida, um anjo indagava em alta voz na visão quem seria digno de romper os selos daquele livro e abri-lo. Porém, não havia ninguém no céu, nem na terra, nem debaixo da terra que pudesse abri-lo e lê--lo. Diante dessa constatação de absoluta falta de dignidade entre os seres criados, João começou a chorar muito. Foi quando um ancião lhe disse: "Não chore! Veja, o Leão da tribo de Judá, o herdeiro do trono de Davi, conquistou a vitória. Ele é digno de abrir o livro e os sete selos" (Ap 5.5).

Sim, só Jesus, o Cordeiro de Deus, é digno de abrir os selos, pois só ele é plenamente puro e jamais pecou. Os demais somos parte do "ninguém no céu, nem na terra, nem debaixo da terra, que pudesse abrir o livro". Essa realidade é visível não apenas na igreja onde você foi machucado, mas em qualquer ambiente em que houver gente de qualquer religião, mesmo cristãos — e isso, desde os primórdios do cristianismo. A história da Igreja é marcada por episódios envolvendo pessoas que, embora fossem cristãs (reais ou nominais), acabaram gerando atritos, mágoas, discordâncias, brigas, tristeza, separações ou ofensas — *machucados*, enfim.

Para verificar isso mais de perto, quero convidá-lo a fazer comigo uma viagem no tempo. Meu objetivo com o que relatarei a seguir é mostrar-lhe que a história da Igreja de Jesus sempre foi marcada por esse tipo de problema, em razão de, desde Adão, o pecado habitar no coração das pessoas que estão no meio do povo de Deus. Ao fim, você perceberá que as feridas que causaram a você não são um fato isolado, tampouco desmerecem a Igreja. Como bem resumiu Philip Yancey: "Os cristãos não são perfeitos, em todos os sentidos, mas eles podem ser pessoas cheias de vida. É isso o que eles são".[4]

Um problema antigo

A Bíblia afirma: "A história simplesmente se repete. O que foi feito antes será feito outra vez. Nada debaixo do sol é realmente novo. De vez em quando, alguém diz: 'Isto é novidade!'. O fato, porém, é que nada é realmente novo" (Ec 1.9-10). Essa grande verdade evidentemente se aplica ao ambiente eclesiástico. Enfrentar falhas, decepções e atritos no seio da igreja de Cristo não é algo novo. Na realidade, é uma necessidade milenar: há dois mil anos cristãos machucam cristãos, irmãos magoam irmãos e atitudes tristes ou mesmo inimagináveis proliferam no meio do povo de Deus. Ainda assim, Deus nos chama a permanecer coesos, como membros do mesmo corpo. Um corpo imperfeito, mas, ainda assim, corpo. E de Cristo.

Os primeiros relatos de situações em que discípulos de Jesus agiram de forma decepcionante e, ao promover atritos e desunião, machucaram seus irmãos estão registrados ainda nos evangelhos. Um dos mais antigos casos do gênero ocorreu ainda na época da protoigreja, quando uma seguidora de Cristo promoveu um caso explícito de nepotismo, isto é, de favorecimento de parentes, e com isso causou indignação e discórdias entre irmãos.

O Evangelho de Mateus relata que dois dos apóstolos de Jesus, Tiago e João, capitaneados por sua mãe, foram certo dia até o Mestre pedir que ele demonstrasse favoritismo e os pusesse em posições de destaque, em detrimento dos demais apóstolos: "Por favor, permita que, no seu reino, meus dois filhos se sentem em lugares de honra ao seu lado, um à sua direita e outro à sua esquerda" (Mt 20.21). Jesus, porém, explicou àquela mãe bem-intencionada, mas equivocada, que no reino de Deus ninguém deveria ocupar cargos ou receber benefícios por influência de parentes ou o que fosse, somente se fosse chamado por Deus para isso: "Meu Pai preparou esses lugares para aqueles que ele escolheu" (v. 23).

A história poderia terminar aí, não fosse por um problema: a atitude do trio de interesseiros acabou gerando revolta no meio do grupo. Mateus não escondeu o problema: "Quando os outros dez discípulos souberam o que os dois irmãos haviam pedido, ficaram indignados" (v. 24). *Indignados!* Pronto, estava instaurada a confusão.

Imagine o ti-ti-ti, o disse me disse que aquilo gerou. Os dez apóstolos souberam que Tiago e João tentaram fazer tráfico de influências para obter *status* pessoal e benefícios no "projeto eclesiástico" de Jesus. Foi preciso que o Senhor interviesse, convocando uma assembleia para conversar com seu grupo de apóstolos e explicar que nepotismo não tinha espaço no reino de Deus, mas que a primazia em seu projeto de poder — celestial — vem a partir única e exclusivamente da vontade soberana do Pai. E essa vontade aponta para serviço e não supremacia, para entrega e não superioridade: "Quem quiser ser o líder entre vocês, que seja servo, e quem quiser ser o primeiro entre vocês, que se torne escravo" (v. 26-27). Uma lição que custa a ser aprendida ainda em nossos dias.

Perceba que o que motivou aquela mãe e seus dois filhos a ter a atitude que gerou confusão entre os apóstolos de Cristo foram, justamente, inclinações pecaminosas. Vaidade. Ganância. Desejo de preeminência. O que motivou os três, portanto, não foram boas intenções, mas a ambição carnal nada santa de obter posição, poder e honra.

Outros dois casos de seguidores de Jesus que foram pivôs de grandes decepções em razão do pecado que habitava neles ocorreram na noite em que Jesus foi preso. Primeiro, Judas Iscariotes, um dos doze apóstolos, o grupo de amigos mais próximos de Jesus, traiu o Mestre. Por trinta moedas de prata, aquele que andou por três anos junto ao Senhor o entregou aos que desejavam matá-lo. Seu pecado foi amar mais as riquezas do que a Deus, contrariando o que Jesus ensinou: "Vocês não podem servir a Deus e ao dinheiro" (Mt 6.24).

Fico pensando como os outros onze se sentiram quando souberam da traição de Judas. E não apenas os apóstolos; veja o que a atitude de Judas provocou entre os irmãos e as irmãs: "Uma grande multidão os seguia, incluindo muitas mulheres aflitas que choravam por ele [Jesus]" (Lc 23.27). Quanta tristeza resultante da atitude daquele suposto "irmão"! O ato traiçoeiro de Judas levou à aflição e às lágrimas de sofrimento um grande grupo de pessoas. Para entender uma sombra de como a atitude de Judas deve ter machucado aqueles bons cristãos, basta imaginar o tipo de sentimento que as pessoas sentem em nossos dias quando descobrem que alguém que era referência de santidade na igreja incorre em algum pecado escandaloso. Decepção, divisão, dor. Machucados.

Como o exemplo de Judas deixa claro, traições sempre estiveram presentes na história da Igreja. Não é de se estranhar que, em nossos dias, pastores quebrem a confiança de membros, líderes traiam votos de segredo e abandonem suas ovelhas por interesse próprio, irmãos revelem publicamente pecados que lhes foram confessados por outros irmãos. A causa para posturas como essas vai de questões financeiras e jogos de poder à má compreensão das boas-novas de Jesus ou mesmo à fraqueza de caráter ou à falta de real intimidade com Deus. Seja a razão que for, a origem é sempre a mesma: o pecado. E a decepção que isso gera é arrasadora, destruindo completamente vínculos de afetividade, confiança, admiração e respeito. Muitas vezes, levando pessoas de bem a se afastar da igreja e, até, a odiá-la.

Todavia, se Judas traiu Jesus uma vez, devemos lembrar que Simão Pedro traiu o Mestre não uma, mas três vezes. Enquanto Jesus era julgado e torturado na casa de Caifás, o sumo sacerdote, Pedro estava no pátio, rondando, assuntando. Ao ser confrontado por pessoas de fora do grupo de discípulos acerca de seus vínculos com o Nazareno, Pedro, com medo de que sobrasse para ele, nega peremptoriamente: "Não conheço esse homem!" (Mt 26.74). Na mesma hora, o galo canta e o apóstolo é invadido por uma intensa tristeza em razão de seu ato pecaminoso.

A Bíblia não diz se os demais discípulos tomaram conhecimento das negações de Pedro, mas, caso tenham tomado, é coerente supor o espanto e a tristeza que teria se apossado dos corações. Que decepção! Que escândalo! Logo Pedro! Tão espiritual! O homem que era uma referência para os irmãos! Mas, mediante uma expectativa realista com relação a ele, compreenderiam que Pedro era simplesmente humano, sujeito ao pecado, capaz de trair e decepcionar qualquer um, mesmo Deus e os irmãos.

Exemplos como esses mostram que, biblicamente, estar entre os seguidores de Jesus não blinda ninguém de errar, magoar, ferir ou decepcionar. Judas, Pedro, Tiago e João, todos eram seres humanos. Todos estavam sujeitos ao pecado. Todos viviam tentados a pecar. E todos pecavam. Qualquer pessoa que depositasse naquele grupo de cristãos uma expectativa irreal de santidade e inerrância certamente sairia machucada daqueles três anos de convivência com o primeiro grupo de cristãos.

Porém... era entre aqueles homens absolutamente imperfeitos que estava Jesus. E ele os amava.

Reconhecer isso nos leva à terceira verdade importante no processo de cura dos machucados que você sofreu na igreja:

> A igreja tem de ser vista de uma perspectiva realista: não como uma comunidade de pessoas perfeitas, mas como um ajuntamento de indivíduos falíveis, que pecam diariamente.

9
O problema sempre existiu

Como resultado, outros judeus imitaram a hipocrisia de Pedro, e até mesmo Barnabé se deixou levar por ela.

GÁLATAS 2.13

Espero que, neste ponto, você já tenha compreendido e concordado com o fato de que pessoas machucam pessoas na igreja porque são seres humanos inclinados ao pecado, que você mesmo tem o potencial humano e pecaminoso de ferir os outros, e que cristãos salvos e redimidos por Cristo também são machucadores em potencial de outros cristãos. Essa compreensão nos leva a ter uma perspectiva mais realista da igreja e dos pastores, líderes e irmãos. Porém, eu gostaria de ir um pouco além. Meu objetivo neste capítulo é mostrar que não é apenas em uma ou outra igreja que há atritos, discórdias, confrontos, pecados e onde, por conseguinte, cristãos ferem cristãos: esse problema afeta a Igreja de Cristo desde o princípio e continuou afetando ao longo dos milênios — o que de forma alguma a desmerece, pois ela segue sendo a noiva amada do Senhor.

Comecemos pela igreja primitiva, que muitas pessoas consideram o modelo ideal de cristianismo. Se houve decepções, atritos e feridas no meio do povo de Deus já entre os doze apóstolos, o grupo mais próximo de Jesus, que dirá entre os primeiros membros da igreja primitiva. O Novo Testamento é abundante em relatos que apontam atitudes reprováveis e escandalosas no seio das primeiras igrejas plantadas na região da Ásia Menor.

Existe um mito muito disseminado que defende que as primeiras comunidades cristãs eram perfeitas e puras e, por essa razão, serviriam como modelo inquestionável de santidade. Veremos a seguir que nada poderia estar mais distante da realidade. Como escreveu o pastor e teólogo John Stott: "Existe o perigo de romantizarmos a igreja primitiva, falando dela em tom solene, como se não tivesse falhas. Isso significa fechar os olhos diante das rivalidades, hipocrisias, imoralidades e heresias que atormentavam a igreja, como acontece ainda agora".[1]

Um dos primeiros casos de mentiras e hipocrisia no ambiente da Igreja de que temos conhecimento envolve um casal de membros da igreja de Jerusalém, Ananias e Safira. Os primeiros cristãos tinham como prática compartilhar tudo o que possuíam, a ponto de proprietários de terras ou imóveis venderem o que era seu e levarem o dinheiro aos apóstolos, para que esses disponibilizassem recursos aos necessitados. Barnabé, por exemplo, nos é apresentado no relato bíblico nesse contexto, quando se desfaz de um campo que possuía e entrega o valor da venda aos apóstolos (At 4.36-37).

Ananias e Safira, porém, vendem uma propriedade e, em vez de entregar ao grupo todo o valor obtido, guardam uma parte para si e mentem (pecado!), afirmando estarem entregando o valor total. O resultado dessa mentira é que Deus lhes tira a vida ali mesmo. Percebemos o impacto que esse episódio teve nos irmãos ao ler: "Um grande temor se apoderou de toda a igreja e de todos que souberam desse acontecimento" (At 5.11). Não foi um episódio banal; houve muita repercussão.

Apesar desse temor, os escândalos entre irmãos não cessaram. Logo no capítulo seguinte, tomamos conhecimento de que a instituição dos primeiros diáconos foi provocada por divergências e insatisfações entre os membros da igreja: "À medida que o número de discípulos crescia, surgiam murmúrios de descontentamento. Os judeus de fala grega se queixavam dos de fala hebraica, dizendo que suas viúvas estavam sendo negligenciadas na distribuição diária de alimento" (At 6.1). "Murmúrios de descontentamento" é uma expressão que transparece um ambiente de reclamações, fofocas, acusações, favoritismos e desunião. Pecado!

Outro episódio de confrontos entre os irmãos teve início com a ida do apóstolo Pedro à casa do gentio Cornélio. Novamente, o ti-ti-ti começou a correr de boca a boca: "Mas, quando Pedro voltou a Jerusalém, os discípulos judeus o criticaram, dizendo: 'Você entrou na casa de gentios e até comeu com eles!'" (At 11.2-3). Mais um escândalo, mais um caso em que a igreja primitiva conviveu com divergências, insatisfações e atritos entre irmãos.

Até os cristãos que tiveram as maiores experiências com Deus não estavam isentos de entrar em picuinhas pessoais. Pedro e Paulo são dois dos nomes de maior destaque da igreja primitiva. Se você quisesse escolher duas pessoas para tomar como modelo, Pedro e Paulo seriam as opções certas, até mesmo pelo fato de exercerem posições de influência e por terem visto Jesus face a face e aprendido diretamente com ele. No entanto — surpreendentemente, para um desavisado, mas compreensivelmente para quem conhece a inclinação ao pecado de qualquer ser humano —, eles tiveram desentendimentos sérios. Paulo relata:

Mas, quando Pedro veio a Antioquia, tive de opor-me a ele abertamente, *pois o que ele fez foi muito errado*. No começo, quando chegou, ele comia com os gentios. Mais tarde, porém, quando vieram alguns amigos de Tiago, começou a se afastar, com medo daqueles que insistiam na necessidade de circuncisão. Como resultado, *outros judeus imitaram a hipocrisia de Pedro*, e até mesmo Barnabé se deixou levar por ela.

Quando vi que *não estavam seguindo a verdade das boas-novas*, disse a Pedro diante de todos: "Se você, que é judeu de nascimento, vive como gentio, e não como judeu, por que agora obriga esses gentios a viverem como judeus?".

Gálatas 2.11-14

Que coisa! Pedro é flagrado em um comportamento hipócrita, manifestando, com isso, o mesmo pecado dos fariseus que Jesus tanto criticou. Pior: ele estava arrastando outros irmãos para o mesmo tipo de erro! O resultado foi que um grupo significativo de seguidores de Cristo estava caminhando longe "da verdade das boas-novas".

É uma acusação muito grave! Não é difícil imaginar o desconforto que essa situação causou na igreja. Paulo certamente ficou decepcionado. Pedro e Barnabé não devem ter se sentido muito confortáveis diante das palavras duras de Paulo. Resultado: atritos, repreensões, desunião, machucados na alma. Como escreveu Brennan Manning:

> Há um mito florescente na igreja de hoje que tem causado dano incalculável — a noção de que, uma vez convertido, convertido por inteiro. Em outras palavras, uma vez que aceito Jesus Cristo como meu Senhor e Salvador, segue-se um futuro inevitável e livre de pecado. O discipulado será uma história imaculada de sucesso; a vida será uma espiral nunca interrompida

de ascensão rumo à santidade. Diga isso ao pobre Pedro, que depois de professar por três vezes seu amor por Jesus na praia, e de receber a plenitude do Espírito no Pentecostes, tinha ainda inveja do sucesso apostólico de Paulo.[2]

Não bastasse isso, Paulo e Barnabé também protagonizaram outro episódio de atrito entre irmãos, quando tiveram um desentendimento bastante sério. É importante lembrar que ambos foram separados para o serviço missionário por ordem direta de Deus e foram enviados "pelo Espírito Santo" (At 13.4) para aquela que ficou conhecida como a "primeira viagem missionária de Paulo". A dupla também permaneceu unida durante o primeiro concílio da Igreja, o de Jerusalém (At 15), assembleia que foi organizada, diga-se de passagem, para tentar resolver fortes discordâncias que havia no meio dos seguidores de Jesus. Logo em seguida, porém, algo aconteceu entre os dois amigos e irmãos.

Paulo chamou seu companheiro Barnabé para visitar cada uma das cidades onde haviam pregado o evangelho anteriormente, a fim de ver como os irmãos estavam. Barnabé queria levar junto o jovem discípulo João Marcos, mas Paulo se opôs, pois, no meio do caminho, o rapaz havia desistido de prosseguir no trabalho de evangelização e se separado deles.

O texto mostra que a discussão entre os irmãos não foi nada bonita; pelo contrário, a Bíblia usa o termo "grave" para defini-la: "O desentendimento entre eles foi tão grave que os dois se separaram. Barnabé levou João Marcos e navegou para Chipre. Paulo escolheu Silas e partiu, e os irmãos o entregaram ao cuidado gracioso do Senhor" (At 15.39-40).

Esse episódio deixa claro que havia graves problemas, desentendimentos e dissensões na igreja primitiva. Nada diferente de hoje. Guarde esse episódio na memória, pois voltaremos a falar dele mais à frente.

Problemas e mais problemas

O problema das discórdias no seio das primeiras igrejas fica muito claro quando se lê com atenção as cartas que formam o Novo Testamento. Colossenses, por exemplo, foi escrita por Paulo para instruir a igreja da cidade grega de Colossos acerca de hereges que ensinavam um falso cristianismo no seio daquela comunidade.

Augustus Nicodemus Lopes explica que, como as demais cidades daquele tempo no Império Romano, Colossos era extremamente religiosa. Nesse cenário, as igrejas cristãs começaram a abrigar um movimento liderado por pessoas que aparentavam ter grande piedade, sabedoria e conhecimento de Deus; todavia, com elas, vinham distorções perturbadoras do evangelho, heresias que já tinham convencido alguns dos cristãos da igreja local.[3]

Em outras cartas, fica claro como era frequente a presença de falsos mestres no meio das igrejas, que ensinavam distorções do evangelho verdadeiro de Jesus em muitas comunidades cristãs da época. O resultado é apresentado no próprio texto bíblico, em passagens como Gálatas 3.1-3 e Tito 1.10-11.

E não eram só falsos mestres disfarçados de bons cristãos que promoviam confusões, dissensões e crises dentro das comunidades cristãs primitivas. Da exata mesma forma que acontece hoje, também havia disputas, divisões, desentendimentos, favoritismos e panelinhas. Em certas igrejas, o problema era tão grave que Paulo foi obrigado a intervir, como foi o caso da igreja plantada na cidade grega de Corinto.

Para se ter uma noção, a igreja de Corinto convivia com os mais variados tipos de pecados. Havia divisões internas e partidarismos (1Co 1.10-17; 3.1-23). Alguns de seus membros tinham se tornado arrogantes (4.18-19). A imoralidade era prática comum entre alguns, a ponto de um dos membros ter relações sexuais com a própria madrasta (5.1). Aqueles cristãos conviviam ainda com o orgulho (5.2,6), e supõe-se que havia ali quem, dizendo-se irmão, era imoral, avarento, idólatra, caluniador, alcoólatra ou ladrão (5.11). Irmãos com queixas contra outros irmãos da igreja ousavam "recorrer a um tribunal e pedir que injustos decidam a questão em vez de levá-la ao povo santo" (6.1), enquanto alguns se punham em jugo desigual com descrentes (2Co 6.14).

A coisa andava tão complicada que Paulo chega a dizer aos coríntios que não poderia elogiá-los, "pois, quando vocês se reúnem, fazem mais mal que bem" (1Co 11.17), uma vez que havia desordem nos cultos (14.26-40), e muitos até mesmo tomavam a ceia "sem honrar o corpo de Cristo" (11.29).

Os pecados combatidos por Paulo nas cartas aos coríntios nos permitem imaginar a desarmonia, a confusão, as discussões e os atritos que havia naquela igreja. Talvez houvesse bate-bocas, desprezo entre irmãos, separatismos e outros problemas nada incomuns nas igrejas do século 21. Não é difícil supor que muitos irmãos atravessaram essas situações com profundas mágoas e feridas na alma. Como Nelson Bomilcar escreveu em *Os sem-igreja*, a igreja é uma comunidade que abençoa e fere, anima e desanima, acolhe e exclui, acerta e erra, realiza e frustra, "protagonizando, enfim, as ambiguidades do papel que lhe cabe como comunidade de seres humanos, não de anjos infalíveis". Nelson ressalta que a igreja é como a vida comum, onde "não há mágica, não há espiritualização mística. Há encontros e desencontros cotidianos, nos quais nos inserimos com responsabilidades e privilégios, ora usufruindo dela, ora desperdiçando o melhor que ela tem".[4]

Paulo viveu essa realidade na pele. Ele teve de lidar, ao longo de seu ministério, com muitas pessoas da igreja que, por sua natureza humana e pecadora, lhe causaram problemas, como Himeneu e Alexandre (1Tm 1.20): "Alexandre, o artífice que trabalha com cobre, me prejudicou muito, mas o Senhor o julgará pelo que ele fez" (2Tm 4.14). Situações como essa levaram Paulo a tornar-se alvo de muitas decepções com pretensos cristãos, como ele explicou a Timóteo: "Por favor, venha assim que puder. Demas me abandonou, pois ama as coisas desta vida e foi para Tessalônica" (4.9-10).

Os problemas entre membros das igrejas proliferaram pelas décadas seguintes. Aproximadamente sessenta anos após o dia de Pentecostes, quando o Espírito Santo foi derramado como línguas de fogo sobre os discípulos de Cristo — evento considerado por muitos o marco inicial da Igreja —, o apóstolo João tem a visão que deu origem ao livro de Apocalipse. É importante observar que o texto apocalíptico começa justamente com broncas e admoestações de Deus a igrejas que estavam tomadas por problemas internos (Ap 2—3).

Nos séculos seguintes, a Igreja não teve menos problemas. As perseguições promovidas pelo Império Romano contra os cristãos, que se estenderam, em ciclos, até o ano 313, também ajudaram a criar abismos e desentendimentos entre os irmãos em Cristo. O problema começou porque, confrontados com torturas e morte caso confessassem sua crença em Jesus, muitos dos que congregavam nas comunidades cristãs negaram Cristo, mas depois quiseram retornar à comunidade de fé.

Esses homens e mulheres foram chamados pelos cristãos que permaneceram firmes de *lapsi*, termo em latim que significa "caídos". Havia formas diferentes de se tornar um *lapsi*: sacrificar aos ídolos romanos, queimar incenso no altar diante de ídolos, falsificar o documento que atestava que tinham sacrificado aos ídolos ou subornar autoridades para conseguir um, mentir para salvar a vida, entregar às autoridades escritos sagrados ou artefatos religiosos, ou revelar nomes de outros cristãos.[5]

A dúvida sobre se os *lapsi* poderiam voltar à comunhão da igreja provocou uma série de discussões nada amigáveis, banimentos, excomunhões e rachas, como aqueles que vieram a ser conhecidos como cisma novaciano e cisma donatista. Essas controvérsias geraram enorme confusão, com ataques, desentendimentos, facções e ofensas mútuas. Tudo no âmbito da igreja, envolvendo aqueles que professavam o nome de Cristo. A razão para tudo isso?
Pecado.

Uma realidade que atravessou os séculos

Esse tipo de problema se estendeu pelos milênios a seguir. Os primeiros séculos de história da Igreja foram marcados por incontáveis divergências e atritos, causados pelos mais variados motivos. Um dos mais frequentes era a discordância doutrinária e teológica.

Ganharam corpo e celebridade numerosas disputas entre cristãos e hereges que surgiram no meio da Igreja, como os seguidores de pensamentos equivocados tais quais ebionismo, eclasaísmo, nicolaísmo, cerintianismo, gnosticismo, montanismo, adocionismo, maniqueísmo, sabelianismo, marcionismo, nestorianismo, donatismo e priscilianismo. Algumas dessas disputas ficaram famosas, como as ocorridas entre Atanásio e o herege Ário ou entre Agostinho e o herege Pelágio, a ponto de a liderança da igreja precisar convocar muitas reuniões de líderes, os chamados concílios, a fim de resolver essas pendengas.

Os séculos se sucederam e, em 1057, uma série de divergências internas acabou provocando um dos mais significativos rachas (cismas) na igreja, o que levou à separação da igreja de Roma da de Constantinopla. Esse processo, regado a muitas ofensas, brigas, excomunhões, divergências e troca de agressões entre irmãos em Cristo, acabou levando ao surgimento da chamada Igreja Ortodoxa Grega, que se desvinculou da Igreja Católica Apostólica Romana.

Nos séculos seguintes, muitos bons cristãos começaram a enxergar a necessidade de promover reformas na igreja de Roma. Ao se posicionarem, eles geraram uma reação forte da liderança romana. Conhecidos como pré-reformadores, homens como John Wycliffe, Jan Huss e William Tyndale começaram a ver problemas e absurdos que marcavam a teologia e as práticas católicas e, ao se mobilizar contra esses desmandos, abalaram a estrutura da instituição romana. Os problemas foram tão grandes que, em 1415, Huss foi condenado por heresia e executado em uma fogueira e, em 1536, Tyndale também acabou condenado à morte e queimado vivo. Cristãos martirizados por cristãos, em consequência do pecado.

Em 1517, o monge agostiniano Martinho Lutero deflagrou a Reforma Protestante, com a divulgação pública de 95 teses que contradiziam pensamentos e práticas da igreja romana. A esse movimento se somaram homens como Felipe Melâncton, João Calvino, Ulrico Zuínglio, Teodoro de Beza e John Knox. O resultado de todo esse processo foi o surgimento do protestantismo, que teve como desdobramento a criação de uma série de denominações do que hoje conhecemos como igreja evangélica, protestante ou reformada. O nível das disputas foi de tanta agressividade que Lutero convocava a cristandade a "lavar suas mãos no sangue desses cardeais, papas e o restante da ralé da Sodoma romana", enquanto os teólogos católicos bradavam pela execução de Lutero, a quem se referiam como "aquele pestilento flato de Satanás, cujo mau cheiro chega aos céus". Veja o nível dos debates.

Você pode imaginar que os reformadores eram um grupo unido e coeso, todos militando em favor da mesma causa. Mas não foi assim, nem de longe. Mesmo entre os reformadores houve muitos problemas, divergências, atritos e conflitos. Lutero e Zuínglio, por exemplo, protagonizaram debates ríspidos e cáusticos acerca de questões ligadas à ceia do Senhor. Em virtude disso, Lutero dizia que não via nenhuma razão para ser mais caridoso com os "falsos irmãos" do que era com os seus inimigos de Roma e não fez nenhum esforço para promover a união ou para tratar seus adversários com amor cristão. E estamos falando de Lutero, conhecido como o grande líder da Reforma! Ou, como prefiro dizer, o *humano* líder da Reforma.

A coisa não parou por aí. Os anos se passaram e os problemas na igreja continuaram com toda força. Atritos entre irmãos prosseguiram pelos séculos seguintes. Um exemplo lamentável de confronto que acabou causando distanciamento, agressividade e ofensas entre cristãos foi o das divergências entre os pregadores George Whitefield e John Wesley acerca da doutrina da eleição. Embora fossem muito amigos, esses dois cristãos fervorosos e seus discípulos enveredaram por um caminho de debates por vezes extremamente agressivos, em razão de Whitefield crer na predestinação para a salvação — a visão calvinista, monergista — e Wesley crer no livre-arbítrio — a visão arminiana, sinergista. Como escreveu o pastor e editor metodista William Henry Fitchett: "Sobre este ponto, havia entre os líderes do grande avivamento um abismo de crença doutrinal que era fundo e insuperável".[6]

No século 18, o famoso missionário e teólogo Jonathan Edwards viveu uma situação surreal. Ele leu em 1Coríntios 11 que uma pessoa não deveria tomar a ceia do Senhor indignamente e, por isso, compartilhou com a igreja que liderava, na cidade de Northampton, que decidira não mais servir a ceia a pessoas não convertidas que estivessem na congregação. A reação foi negativa e Edwards enfrentou grande oposição, especialmente da parte de pessoas que ele classificou como "professores de religião que não eram conhecidos por sua piedade". Como consequência, houve reuniões, debates e controvérsias que envolveram toda a cidade. O resultado? A igreja votou e decidiu, simplesmente, excluir Edwards.

Que golpe! O mais afamado pastor e teólogo de sua época foi expulso da igreja que liderara por décadas. Sua filha ficou tão machucada que se recusou a sentar-se com a congregação nas poucas vezes em que retornou à igreja. E mais: ao assumir uma nova congregação, na cidade de Stockbridge, Edwards começou a sofrer perseguição e boicotes por parte de uma família de membros, os Williams, que reclamavam de praticamente tudo o que ele fazia.

Feridas, feridas, feridas. Ao longo da história da Igreja elas se multiplicaram. Termino com um último exemplo, o do conhecido pintor Vincent Van Gogh, uma das vítimas de machucados na igreja mais célebres dos últimos duzentos anos. Muita gente não sabe, mas ele era apaixonado pela

Bíblia e tornou-se missionário junto a mineiros pobres na Bélgica. Van Gogh conduziu diversas pessoas à salvação. Lamentavelmente, um comitê eclesiástico de avaliação considerou que ele sofria de "zelo excessivo" e que não se vestia nem pregava adequadamente. Por essa razão, foi demovido do seu posto de missionário. Van Gogh retornou à casa dos pais, decepcionadíssimo e frustrado, o que o levou a um colapso nervoso. Aos poucos, começou a se afastar da vida eclesiástica, até que, em certo dia de Natal, se recusou a ir ao culto na igreja, decisão que provocou um acalorado bate-boca entre ele e seu pai, um pastor.

Fato é que Van Gogh se desencantou a tal ponto com a igreja, por conta de todas as desilusões que teve, que a abandonou definitivamente em 1880, aos 27 anos. Aparentemente, Van Gogh tornou-se o que, hoje, seria chamado de "desigrejado", pois, embora tenha rompido relações com a instituição eclesiástica, manteve o amor por Jesus. Tanto que seus quadros mais religiosos foram pintados nos três últimos anos de vida. "Ele amava enormemente Cristo no fim da vida", defende o acadêmico William Havlicek, autor de um livro sobre a vida do pintor.[7]

Todos esses episódios de atritos, feridas, confrontos e discordâncias no âmbito da igreja, desde o início do cristianismo até tempos recentes, são apenas alguns exemplos do que homens tementes a Deus, mas inclinados ao pecado em razão de sua natureza humana, podem provocar a outros cristãos. E isso, sigam eles o tipo de cristianismo que seguirem, no modelo que for. Por mais que alguém ame a Cristo, está sujeito a pecar e, portanto, a machucar seus irmãos e irmãs. Precisamos ter os pés no chão quanto a esse fato. A "grande multidão de testemunhas" a que Hebreus 12.1 se refere inclui

muitas e muitas pessoas falhas que feriram e foram feridas em sua vida de fé.
Você não está só.

O pastor e escritor Ricardo Barbosa, da Igreja Presbiteriana do Planalto e coordenador do Centro Cristão de Estudos, em Brasília (DF), resume bem o que todas essas informações nos levam a concluir: "A igreja evangélica brasileira é essa igreja que conhecemos, como todas as outras, em toda a história e cultura. Uma igreja cheia de defeitos, mas também cheia de virtudes, onde a obediência a Cristo acontece em meio à rebeldia, orgulho e pecado de todos nós".[8]

O entendimento dessa realidade nos permite definir mais uma verdade sobre os machucados sofridos na igreja:

> Cristãos ferem cristãos desde o início do cristianismo, mas isso não desqualifica a Igreja, que é a noiva amada de Cristo. Seu caso não é único. Você não está só.

10
Da amargura e da ira para a bondade e a compaixão

> Não te peço apenas por estes discípulos, mas também por todos que crerão em mim por meio da mensagem deles. Minha oração é que todos eles sejam um, como nós somos um, como tu estás em mim, Pai, e eu estou em ti. Que eles estejam em nós, para que o mundo creia que tu me enviaste.
>
> João 17.20-21

Leio essa oração de Jesus e a comparo com tudo o que ouvi das dezenas de cristãos que foram machucados por outros cristãos e concordaram em relatar suas histórias de dor, mágoa e decepção para a realização deste livro. A sensação que tenho é que o Pai ainda não atendeu a essa oração do Filho, pois, lamentavelmente, ainda em nossos dias o pecado tem criado abismos entre muitos nas igrejas. Não me parece que sejamos um, mas que ainda estamos muito distantes da unidade almejada por Jesus.

Assim como foi ao longo de toda a história do cristianismo, em nossos dias há uma série de problemas de relacionamento entre pessoas na igreja, que trazem como resultado machucados na alma. Em 2010, investiguei esse fenômeno a fim de escrever uma reportagem para a revista *Cristianismo hoje* e cheguei à seguinte conclusão: "No cerne desse fenômeno está um sentimento-chave: decepção".[1] Como já vimos, a razão para essa decepção permanece a mesma há dois milênios: continuamos praticando atos motivados por egoísmo, inveja, arrogância, cobiça, egocentrismo, partidarismo, soberba, ganância e outros pecados. Não deveria ser assim, mas, infelizmente, é uma realidade.

Navegue um pouco pelas redes sociais ou sintonize certos programas de TV e facilmente você verá irmãos agredindo irmãos: calvinistas e arminianos se atacam com sarcasmo e ofensas; pentecostais e cessacionistas se digladiam e se desmerecem com baixeza nas palavras; adeptos da missão integral e aqueles que discordam dela se espancam verbalmente; pedobatistas e credobatistas fazem chacotas mútuas; e por aí vai. Tudo isso machuca e denuncia uma igreja que ainda precisa caminhar mais rumo à união e ao amor que Cristo deseja.

Em meu *blog*, Apenas (<apenas1.wordpress.com>), publico reflexões semanais sobre a vida cristã. Com uma frequência incômoda, fico assombrado com a forma como muitos cristãos expressam seus pontos de vista nos espaços de comentários das postagens. Entre as pérolas da gentileza, já li comentários como: "Argumentos irrelevantes os seus. Continue na sua igreja com um teletipo de conta corrente pregado na sua testa"; "Provavelmente você vive de alguma denominação e tem medo de perder a mamata"; "Percebo que você realmente não tem revelação nenhuma da voz de Deus e de Cristo"; e "Refuto todas essas baboseiras que você falou. Vai estudar mais e ter mais intimidade com Deus, meu amigo". Fora aqueles comentários que, em nome da boa educação, não posso reproduzir aqui enquanto não tirarem as crianças da sala.

Essas palavras exemplificam, tristemente, como o coração de grande parte das pessoas que frequentam nossas igrejas anda agressivo, rancoroso, ofensivo e confrontador. Se alguém se comporta assim na Internet, será que se comportará de modo diferente nos relacionamentos pessoais no ambiente da igreja? O que esse tipo de constatação revela? A meu ver, que muitos estão cheios de amargura, raiva e ira, que redundam em palavras ásperas e caluniosas e promovem todo tipo de maldade.

Uma substituição urgente

Diante dessa realidade, torna-se urgente a substituição: "Livrem-se de toda amargura, raiva, ira, das palavras ásperas e da calúnia, e de todo tipo de maldade. Em vez disso, sejam bondosos e tenham compaixão uns dos outros, perdoando-se como Deus os perdoou em Cristo" (Ef 4.31-32). É preciso substituir a amargura pela bondade. A raiva, as palavras ásperas e a calúnia pela compaixão. A ira pelo perdão. Todo tipo de maldade pelo amor.

Toda ação gera uma reação. E a reação mais frequente aos machucados na alma é a amargura e a consequente raiva e oposição a tudo o que tem a ver com quem ou o que nos machucou. Por essa razão, é frequente ver gente ferida na igreja se tornar reativa e azeda.

Um exemplo é o pastor americano Stephen Mansfield, que abandonou a vida ministerial após ter sido profundamente machucado em sua comunidade de fé, mas encontrou a cura após um processo de perdão. Ele exemplifica de um jeito muito honesto como, no auge da crise, seu coração estava amargo, raivoso e irado com relação aos que o machucaram: "Eu queria que eles morressem. Todos eles. Os que me feriram, os que gostavam dos que me feriram e os que ficaram em silêncio enquanto me feriam. Eu queria que eles morressem de modo horrível e eu mesmo queria matá-los".[2]

Mansfield, que deixou os púlpitos e se tornou um bem-sucedido autor de biografias *best-sellers*, descreve seu estado de espírito naquela época: "Eu estava destruído. Não só em decorrência das brigas na igreja, mas pela minha decisão ignorante de permitir que minha alma se tornasse um lodaçal tóxico".[3] Na vida de Mansfield, algo precisava ser feito.

E esse algo era a substituição, na prática, da amargura e da ira pela bondade e o amor.

Jesus disse: "Seu amor uns pelos outros provará ao mundo que são meus discípulos" (Jo 13.35). Vê-se que o próprio Cristo estabeleceu qual seria o selo, o demonstrativo público, a carteira de identidade dos santos perante o mundo a fim de atestarem sua realidade enquanto discípulos de Jesus: *amor de uns pelos outros*. Não um amor pueril, mas abnegado, que nega a si mesmo em prol do próximo e por fidelidade a Deus. Realidade ratificada por João: "Assim, podemos identificar quem é filho de Deus e quem é filho do diabo. Quem não pratica a justiça e não ama seus irmãos não pertence a Deus" (1Jo 3.10).

A Bíblia é clara: "Se alguém afirma: 'Amo a Deus', mas odeia seu irmão, é mentiroso, pois se não amamos nosso irmão, a quem vemos, como amaremos a Deus, a quem não vemos? Ele nos deu este mandamento: quem ama a Deus, ame também seus irmãos" (1Jo 4.20-21). Sim, biblicamente, comportar-se sem amor ao próximo faz de você um mentiroso, pois é incoerência no grau máximo. "Que todos vejam que vocês são amáveis em tudo que fazem" (Fp 4.5).

Lamentavelmente, as igrejas estão cheias de pessoas que caminham distantes do ideal bíblico. Jesus disse: "Eu, porém, lhes digo que basta irar-se contra alguém para estar sujeito a julgamento. Quem xingar alguém de estúpido, corre o risco de ser levado ao tribunal. Quem chamar alguém de louco, corre o risco de ir para o inferno de fogo" (Mt 5.22). Percebe a gravidade de tratar o próximo com desamor?

Uma realidade que muitos feridos na igreja não percebem é que o veneno tóxico de desamor que havia na alma dos que os machucaram é contagioso. Não importa qual tenha sido a causa da ofensa sofrida ou sua gravidade, em geral os ofendidos apresentam uma característica em comum: sua alma acaba contaminada, envenenada por amargura tóxica. O perigo dessa realidade é que almas amarguradas acabam distanciando-se de Deus, por se aproximarem daquilo que Deus rejeita: ódio, desejo de vingança, ira, agressividade.

O teólogo Miroslav Volf alerta sobre a importância de manter os impulsos da nossa humanidade sujeitos à obediência ao Senhor:

> Agir como um ser humano é reconhecer sentimentos, até mesmo a sede de vingança, mas é também seguir as exigências morais entrelaçadas por Deus no tecido da nossa humanidade. [...] Quanto mais grave o malefício, tanto maior a probabilidade de agir em relação aos malfeitores como sentimos vontade de agir e não como devemos fazer. [...] Todavia, será que a minha incapacidade teria cancelado a obrigação de amar meu inimigo? Penso que não.[4]

O coração de muitos que se chamam pelo nome do Cristo tem andado fora de sintonia com a natureza do Cristo, revelada de forma sintética no fruto do Espírito Santo. É por isso que tantos corações necessitam urgentemente de uma transformação. Caso contrário, encontraremos todos os dias cristãos odiosos, ofensivos, egoístas, sarcásticos, agressivos e agressores, gente que machuca o próximo como se fosse algo natural. Deus espera do cristão que ele fale e faça o que transmite graça, e não raiva, prepotência e arrogância. Paulo é enfático ao dizer que nosso chamado em Cristo implica que andemos "de modo digno do chamado que [recebemos]". E diz também que devemos ser sempre humildes e amáveis, tolerando pacientemente uns aos outros em amor: "Façam todo o possível para se manterem unidos no Espírito, ligados pelo vínculo da paz. Pois há um só corpo e um só Espírito, assim como vocês foram chamados para uma só esperança" (Ef 4.3-4).

Cristo não endossa reações agressivas, por melhores que sejam as intenções. Isso vale, em especial, para cada líder eclesiástico, que, à luz da Bíblia, precisa ser, entre outras coisas, não violento. "Antes, deve ser amável" e "pacífico" (1Tm 3.3), "Não deve ser arrogante nem briguento, [...] nem ser violento" (Tt 1.7). E, para todos nós, a Palavra de Deus é clara:

> Visto que Deus os escolheu para ser seu povo santo e amado, revistam-se de compaixão, bondade, humildade, mansidão e paciência. Sejam compreensivos uns com os outros e perdoem quem os ofender. Lembrem-se de que o Senhor os perdoou, de modo que vocês também devem perdoar. Acima de tudo, revistam-se do amor que une todos nós em perfeita harmonia. Permitam que a paz de Cristo governe o seu coração, pois, como membros do mesmo corpo, vocês são chamados a viver em paz.
>
> Colossenses 3.12-15

Compaixão. Bondade. Humildade. Mansidão. Paciência. Compreensão. Coração perdoador. Amor que une, em harmonia. Paz. Essa é a meta. É isso que Deus espera de seus filhos. Precisamos encorajar uns aos outros a não devolvermos mal com mal, a não usarmos palavras torpes, a sermos pacificadores bem-aventurados, em suma, a sermos imitações de Cristo. E isso só será possível se pusermos em prática o maior mandamento: amar o próximo como a nós mesmos, numa expressão do amor a Deus. Essa é a síntese dos mandamentos divinos:

> Quem ama seu próximo cumpre os requisitos da lei de Deus. Pois os mandamentos dizem: "Não cometa adultério. Não mate. Não roube. Não cobice". Esses e outros mandamentos semelhantes se resumem num só: "Ame o seu próximo como a si mesmo". O amor não faz o mal ao próximo, portanto o amor cumpre todas as exigências da lei de Deus.
>
> Romanos 13.8-10

O entendimento dessas realidades nos permite estabelecer mais uma verdade acerca dos machucados sofridos na igreja:

> É imprescindível substituir, de forma prática e concreta, a amargura, a raiva, a ira, as palavras ásperas e a calúnia e todo tipo de maldade por bondade, compaixão e amor.

11
Soluções que não solucionam

> Deus submeteu todas as coisas à autoridade de Cristo e o fez cabeça de tudo, para o bem da igreja. E a igreja é seu corpo; ela é preenchida e completada por Cristo, que enche consigo mesmo todas as coisas em toda parte.
>
> EFÉSIOS 1.22-23

A esta altura, diante de tudo o que falamos até aqui, é possível que você esteja pensando que, já que uma igreja nos moldes tradicionais é um ambiente formado por gente imperfeita, inclinada para o pecado, e já que isso sempre foi assim e sempre será... não vale a pena fazer parte de uma. Afinal, para que se tornar membro ou mesmo frequentar uma instituição que mais parece um campo minado, com potencial de machucá-lo a cada esquina, composta por pessoas imperfeitas e liderada por indivíduos falhos e cheios de problemas? Melhor seria ficar longe desse vespeiro!

Esse pensamento não é raro. Muitas pessoas que foram machucadas no contexto de uma igreja institucional enxergam o abandono dela como a solução para se curar das feridas ou para se preservar de novos machucados. O grande "porém" é que essa "solução" simplesmente não soluciona nada. É como achar que deixar de frequentar o estádio de futebol evitará que seu time perca os jogos. Identificar o que *não* cura é fundamental para dirigirmos nossas atenções ao que, de fato, cura.

Gostaria de ponderar algumas questões sobre esse pensamento, com base em argumentos que ouvi de pessoas que entrevistei e que disseram preferir ficar longe da igreja institucional ou mesmo do convívio com outros cristãos. Eu poderia dividi-las em três grupos principais:

- Os que deixaram de congregar em uma igreja institucional (aquela que tem um templo com placa na porta, na maioria das vezes pertencente a uma denominação, com uma liderança hierarquizada, que recolhe dízimos e ofertas, que possui uma liturgia bem definida e outras características comuns a uma igreja tradicional) e migraram para outro modelo de reunião, mais informal, com reuniões em lares ou locais públicos. Costumam ser chamados de "desigrejados", mas rejeitam o termo e preferem alcunhas como "cristãos adenominacionais" ou "integrantes da igreja orgânica".
- Os que deixaram de congregar em uma igreja institucional e, embora mantenham a mesma fé em Deus, Jesus e na Bíblia, preferem viver sua espiritualidade sozinhos, em casa, sem frequentar reuniões com outros cristãos com fins religiosos. No máximo, buscam uma interação coletiva com outros cristãos via Internet. Também costumam ser chamados de "desigrejados".
- Os que deixaram de congregar em uma igreja institucional e abandonaram a fé, a prática das disciplinas espirituais e, na maioria das vezes, muitos pontos da ética cristã. Costumam ser chamados de "desviados".

Não tenho absolutamente nenhuma dúvida de que aqueles que abraçaram um desses três formatos de espiritualidade em razão de terem sido machucados na igreja o fizeram por acreditar sinceramente que mudar a formatação de sua religiosidade resolveria o problema, sararia suas feridas e evitaria que passassem novamente pelo que passaram.

A pergunta que devemos analisar cuidadosamente é: será? Será que abandonar a igreja institucional e migrar para outro modelo de agremiação, buscar uma relação solitária com Deus ou dar as costas para a vida de fé constituem solução para os machucados do passado e prevenção contra os do futuro? Gostaria de refletir sobre isso, e peço que você acompanhe meu raciocínio.

Minha intenção em primeiro plano não é fazer você retornar a uma igreja institucional — caso isso ocorra, tem de ser uma iniciativa sua. Contudo, não posso fugir de mostrar que simplesmente se desconectar de uma igreja institucional *não* curará a sua alma e *não* evitará que você seja machucado novamente no futuro. Vamos analisar as razões de acordo com a realidade dos três perfis de pessoas descritos acima.

Da igreja institucional para grupos informais

Falemos primeiro do grupo de irmãos e irmãs em Cristo que abandonaram a igreja institucional e passaram a se reunir informalmente, em pequenas reuniões domésticas ou em locais públicos como cafés e livrarias. Muitos se tornaram questionadores do modelo tradicional de igreja, influenciados por pensadores cristãos como os americanos Frank Viola e George Barna.

As razões para essa mudança são bem variadas, como explica o pastor Nelson Bomilcar em seu livro *Os sem-igreja*: "Muitas pessoas estão desencorajadas pelas cicatrizes trazidas pela institucionalização, cristãos solapados por projetos ministeriais impessoais, relacionamentos funcionais, falta de preocupação com o discipulado, proclamação utilitarista, apelos financeiros exagerados, entre outros motivos".[1]

Para a proposta deste livro, não vamos analisar todas essas razões, mas apenas o caso das pessoas que se afastaram da igreja institucional *por machucados sofridos no ambiente eclesiástico*. Os argumentos usados por esses irmãos para sua opção de reunião incluem:

- Cristo nunca fundou uma igreja institucional ou uma denominação.
- Cristo nunca construiu um templo.
- A igreja verdadeira não tem cultos regulares aos domingos, tesouraria, hierarquia, ofícios, ofertas, dízimos, clero oficial, confissões de fé, rol de membros, propriedades, escolas, seminários.
- Os cristãos dos primeiros séculos se afastaram dos ensinos puros de Jesus, organizando-se como uma instituição, criando estruturas, inventando ofícios e hierarquias. A pá de cal foi a oficialização do cristianismo por Constantino.
- A igreja da Reforma errou ao criar denominações organizadas, hierarquias, processos de manutenção do sistema, confissões de fé e catecismos, que engessaram a mensagem de Jesus e impediram o livre pensamento teológico.
- Se a Igreja de Cristo se faz presente onde estiverem dois ou três reunidos em nome de Jesus, pertencer à igreja organizada é desnecessário.

- A igreja institucionalizada tem falhado e caído em muitos erros, pecados e escândalos, por isso é preciso sair dela para encontrar a Deus.²

Embora haja algo a se considerar nesses argumentos, o grande equívoco dessa visão é culpar um *modelo* de organização por um problema que tem sua origem no *coração* do homem. O modelo de reunião ou adoração não muda o fato de que uma pessoa machuca outra porque carrega dentro de si essa força hecatômbica chamada *pecado*.

Portanto, atribuir um problema que tem sua verdadeira origem no coração do ser humano inclinado ao pecado ao fato de a igreja funcionar em um prédio próprio, receber dízimos, ter hierarquias e coisas assim... simplesmente não resolve nada. Não cura machucados. E não evitará feridas futuras.

Lembra-se de quando a seleção brasileira de futebol perdeu para a Alemanha por 7 a 1, na Copa do Mundo de 2014? Você acha que o fato de o jogo ter ocorrido em um grande estádio foi o responsável pela derrota? Ou a culpa é do fato de a seleção brasileira ter massagista, técnico e comissão técnica? Quem sabe se não tivesse tanto dinheiro envolvido na Copa do Mundo, entre ingressos, patrocínios e direitos de *marketing*, teríamos vencido? Se formos sensatos, teremos de reconhecer que nenhum desses fatores institucionais reflete a verdadeira razão da vergonhosa derrota do Brasil.

Até porque, em todas as outras copas em que o Brasil jogou, havia tudo isso envolvido e, ainda assim, levamos a taça cinco vezes! A explicação honesta e objetiva é: nós perdemos porque os nossos jogadores, individualmente e no conjunto, tiveram um desempenho sofrível.

SOLUÇÕES QUE NÃO SOLUCIONAM 135

Embora eu tenha consciência de que essa seja uma analogia imperfeita, a comparação apresenta um pouco da perda de foco que é pôr na conta de algo *exterior* um mal cuja explicação está no *interior* do indivíduo. E tentar despir a igreja organizada de sua institucionalização acaba sendo negar uma realidade facilmente percebida acerca da Igreja dos primeiros séculos, como disse o escritor C. S. Lewis: "O cristianismo já é institucional desde o mais antigo dos documentos".[3]

Para se viver com saúde espiritual, temos de fazer um diagnóstico correto do mal que leva alguém a ser ferido no ambiente eclesiástico. E o diagnóstico é: pessoas machucam outras pessoas na igreja institucional não porque estão na igreja institucional, mas *porque são pessoas*! E, como pessoas, sua natureza humana é inclinada ao pecado.

Assim, é fundamental ter em mente que a raiz dos atritos, das discussões, da desunião, das picuinhas, da indiferença, do autoritarismo, do favorecimento e de todo tipo de mal que ocorre na igreja tem sua origem no interior do homem, esteja ele em uma igreja institucional ou reunido em uma casa, uma livraria ou uma cafeteria. Inspirado pelo Espírito Santo, Tiago matou a charada: "A tentação vem de nossos próprios desejos, que nos seduzem e nos arrastam. Esses desejos dão à luz o pecado, e quando o pecado se desenvolve plenamente, gera a morte" (Tg 1.14-15). Pouco mais à frente, o texto prossegue: "De onde vêm as discussões e brigas em seu meio? Acaso não procedem dos prazeres que guerreiam *dentro de vocês*?" (4.1). Aí está a resposta.

Se isso é assim, fica claro que, onde houver seres humanos, o pecado estará presente e inocentes serão machucados. Muitas pessoas abandonam as igrejas institucionais para comungar com irmãos em Cristo que se encontram em lares, sem nomes de denominações, figuras sacerdotais ou regras organizacionais, por acreditar que assim estarão livres do mal que as acometeu quando eram membros de igrejas organizadas. Essa fuga, na verdade, só mascara o problema. Isso é evidente, pois, se nesses grupos domésticos informais há pessoas, ali também haverá pecado e, portanto, o potencial de atritos e feridas continua o mesmo. E, geralmente, por mais que seus integrantes não reconheçam, as formas alternativas de ajuntamento de cristãos também são institucionais.

Quando toco nessa questão com Idauro Campos, ele relata uma experiência interessante: "Participei certa vez de um *hangout* na Internet em que havia diversos 'desigrejados' de lugares diferentes do Brasil e até um do exterior. O mais engraçado é que a videoconferência ocorria sempre no mesmo dia da semana e no mesmo horário, previa um tempo determinado para falas e um limite de tempo para os comentários, tinha moderadores que lideravam o grupo e estabeleciam as regras... enfim, todo um arcabouço institucional. Era uma *instituição*, com liturgias, estatutos e líderes, mas eles não se davam conta disso", diverte-se.

Em uma igreja nos lares, talvez você não se torne vítima de um pastor autoritário vestido de colarinho clerical, toga ou terno e gravata, mas nada impede que seja ferido por um irmão que detesta templos e liturgias e que, no entanto, é humano e inclinado ao pecado. É como querer beber água do mar para matar a sede: simplesmente não resolve. Como escreveu Idauro Campos em *Desigrejados*:

> [...] abandonar o templo, alegando que reuniões em casas são mais saudáveis, intimistas e bíblicas é simplório, pois até podem ser intimistas, mas duvido que sejam necessariamente

mais saudáveis e não há nenhuma orientação apostólica quanto ao lugar de adoração. Podendo ser em templos, em casas ou em qualquer outro lugar. Não devemos sacralizar o templo, mas demonizá-lo, também, é ridículo. [...] Considerar que um simples CNPJ e um templo de alvenaria minam o vigor espiritual da Igreja de Cristo é valorizar demais tais expedientes, como se os mesmos pudessem afugentar a Trindade.[4]

É verdade, reconheçamos. Não afugentam nem a Trindade nem o pecado que há dentro de cada um de nós. Abandonar a igreja institucional que se reúne em templos, tem liturgias e é liderada por figuras sacerdotais por achar que o mal é a instituição não soluciona nada, pois, onde houver duas ou três pessoas reunidas em nome de Cristo, ali estará presente a natureza pecaminosa delas — seja em que modelo for. E onde há pecado, pessoas se machucam. Ali, na sala de estar da casa de um irmão sem vínculos com igrejas formais, continuará havendo pessoas com desejos que as seduzem e arrastam e dão à luz o pecado.

Não quero ofender meus irmãos em Cristo que deixaram a igreja institucional para viver sua espiritualidade em ambientes domésticos ou intimistas. Porém, preciso compartilhar uma forte impressão: uma enorme parcela das pessoas com quem conversei e que, machucadas na igreja institucional, fizeram a transição para esse modelo mais informal de igreja, carregam consigo uma enorme amargura, evidenciada pelo que falam e pelo modo como falam. Muitos com quem conversei referem-se à igreja institucional com uma agressividade enorme, com ataques e ofensas. Com amargor na alma.

Percebo que muitas delas mudaram de modelo de reunião cristã, mas seguem machucadas, sangrando e destilando ira contra pastores, ódio contra denominações e raiva contra templos. Seus discursos são ferinos e verborrágicos. É nítido e evidente que mudar de modelo de ajuntamento não ajudou a sará-las. É bastante fácil perceber que, infelizmente, esses irmãos e irmãs ainda continuam necessitados de cura. Seus machucados ainda doem. E sabe por quê? Porque *modelos não saram feridas*, muito menos evitam novas feridas, tampouco aproximam mais as pessoas de Deus.

A igreja primitiva não se reunia em templos. Não havia denominações. Não existiam pastores ordenados no formato de nossos dias. Tudo isso é verdade. Porém, nada disso jamais impediu que entre os cristãos daquela época houvesse inúmeros problemas graves, atritos e machucados, como ficou muito claro nos capítulos anteriores. Não podemos ser ingênuos quanto a isso. Mudar de modelo simplesmente é uma "solução" que não soluciona nada. Altera a forma, mas preserva o conteúdo.

O testemunho que o brasiliense Marcos compartilhou, por intermédio do meu *blog*, sintetiza, a meu ver, essa constatação. Machucado em uma igreja tradicional, ele optou por migrar para outro modelo, menos institucionalizado. Com o tempo, porém, acabou se dando conta de que essa mudança não resolveu o problema. Ele relata: "Sou um sobrevivente da 'igreja não institucional'. Graças a Deus, caí na real a tempo de perceber a cilada em que estava me metendo. E, igual a mim, tenho amigos que faziam parte de uma igreja institucional, mas jogaram tudo para o alto para fazer parte de um 'movimento' desses. Após a mudança, eles se doaram de corpo e alma, deram o sangue e a maioria saiu destruída, magoada, ferida, frustrada, decepcionada. Muitos deles acabaram abandonando qualquer tipo de agremiação cristã.

Outros voltaram para suas igrejas institucionais de origem e estão muito bem onde estão, graças a Deus".

O exemplo de Marcos demonstra como mudar de modelo de organização não soluciona o problema. Pode ser que crie um paliativo psicológico, mas, com o tempo, não evita que ocorram novos machucados.

Como músico, Nelson Bomilcar viaja muito pelo Brasil. Por isso, costuma encontrar-se com irmãos em Cristo dos mais variados segmentos da Igreja, entre eles os que se reúnem segundo o modelo de grupos domésticos. Quando lhe pergunto qual é sua visão sobre esse tipo de fórmula alternativa para a igreja tradicional, Nelson, que sofreu muitos machucados na igreja, é rápido e direto em sua resposta: "O grupo pequeno ou doméstico não é o antídoto para os problemas da igreja institucional, pois ali o veneno é o mesmo". Ele concorda que os movimentos com outras formatações inevitavelmente assumem aspectos institucionais, com o estabelecimento de líderes informais, regras, liturgias e protocolos.

Tristemente, em muitos casos, Nelson percebe uma falta de conexão real entre as pessoas, mesmo se reunindo nos lares. "O sem-igreja costuma pôr todos no mesmo saco. Mas não pode ser assim. Há cristãos verdadeiros nas igrejas institucionais, bem como pastores coerentes e que amam a Deus. Tanto é verdade que, com frequência, tomo conhecimento de irmãos que metem o malho em denominações irem escondido ouvir pregadores dessas denominações, ler seus textos e ouvir suas mensagens pela Internet. Sinal de que, afinal, o fato de pessoas serem pastores ordenados e fazerem parte de denominações não os torna tão condenáveis assim."

Da igreja institucional para a espiritualidade solitária

O segundo grupo é o de cristãos que, machucados no âmbito da igreja institucional, a abandonam, mas não procuram nenhum outro modelo de ajuntamento espiritual. Ficam em casa, no máximo se reunindo com o cônjuge e os filhos para momentos devocionais, sem apostatar da fé, mas sem nenhum tipo de envolvimento com núcleos cristãos — seja em que modelo for. Eles rejeitam novos vínculos com quaisquer grupos. Leem a Bíblia sozinhos, fazem suas orações a sós, ouvem pregações e ensinamentos por meios eletrônicos (como Internet, televisão e rádio), trocam ideias com outros cristãos *on-line*, leem livros cristãos, mas decidiram não congregar mais.

Quanto a esses queridos irmãos e irmãs, é preciso reconhecer que, blindados pela falta de conexão, isolar-se realmente diminuirá o risco de que sejam machucados por outros cristãos. Suas feridas abertas, porém, continuarão sangrando. E, além de todos os problemas do grupo anterior, esse distanciamento dos demais membros do corpo de Cristo cria um mal novo e grave: a opção pelo modelo da "igreja-do-eu-em-casa" é uma subversão do modelo que o próprio Jesus estabeleceu para a sua Igreja, em que os salvos estão interconectados por relacionamentos diretos, compartilhando a vida e a espiritualidade.

O mandamento bíblico é claro: "Pensemos em como motivar uns aos outros na prática do amor e das boas obras. *E não deixemos de nos reunir, como fazem alguns*, mas encorajemo-nos mutuamente, sobretudo agora que o dia está próximo" (Hb 10.24-25). Deixar de se reunir não é uma opção para quem deseja seguir o cristianismo bíblico. E, se você se machucou na igreja, deixar de se reunir não sarará as feridas que sofreu.

A Igreja foi fundada por Jesus (Mt 16.18) para ser uma coletividade. A Bíblia usa a expressão "corpo de Cristo" como sinônimo de Igreja: "Juntos, todos vocês são o corpo de Cristo, e cada um é uma parte dele" (1Co 12.27); "Cristo é o cabeça da igreja. Ele é o Salvador de seu corpo, a igreja" (Ef 5.23).

Nelson Bomilcar lembra que, já entre os chamados Pais da Igreja (líderes da Igreja primitiva pós-apostólica), havia o entendimento de que a jornada do cristão deveria ser uma atividade contínua a ser praticada na igreja e para a igreja, no contexto da oração e da adoração, como um ato comunitário e não de empenho exclusivamente individual.[5]

Será que essa imagem do corpo foi usada à toa pelo Espírito Santo? Certamente não, como Paulo deixou bem claro: "Da mesma forma que nosso corpo tem vários membros e cada membro, uma função específica, assim é também com o corpo de Cristo. Somos membros diferentes do mesmo corpo, e todos pertencemos uns aos outros" (Rm 12.4-5).

O capítulo 12 de 1Coríntios trata integralmente dessa questão, pois apresenta a Igreja como corpo e cada pessoa justificada pela graça de Deus como um dos membros desse corpo: "O olho não pode dizer à mão: 'Não preciso de você'. E a cabeça não pode dizer aos pés: 'Não preciso de vocês'" (v. 21).

Agora, pense: um membro decepado do corpo é algo normal ou uma anomalia? Uma mão afastada do braço não cumpre seu papel. Uma orelha separada do rosto causa sentimentos estranhos em quem a vê. As partes do corpo não foram feitas para viverem decepadas do todo, isso é óbvio. É necessário estar conectado, fazendo trocas, retroalimentando-se. A psicóloga e teóloga Karen Bomilcar ressalta: "Embora uma comunidade ideal não exista, uma comunidade deve ser onde as pessoas entendem que são aceitas, apesar de suas fraquezas e limitações existentes. Onde seus dons e possibilidades são incentivados e ativamente envolvidos. Onde oferecemos oportunidades de recomeço e reconciliação".[6]

Além disso, é importante lembrar que, mesmo sendo a igreja formada por pessoas imperfeitas e potencialmente passíveis de nos machucar, é nesse contexto que celebramos o memorial coletivo da ceia do Senhor (Mt 26.26-28) e em que cristãos mais antigos na fé batizam os recém-chegados (Mt 28.19-20).

Coordenador do Centro Cristão de Estudos, em Brasília (DF), Ricardo Barbosa sublinha o problema do abandono da coletividade dos irmãos na fé: "Podemos até rejeitar a instituição, podemos afirmar que ela não é bíblica, que o reino de Deus não diz respeito às instituições, e por aí vai, porém não temos como rejeitar a 'comunhão dos santos' sem comprometer a natureza do 'povo da aliança'". Em texto publicado na revista *Ultimato*, Ricardo enfatiza o fato de os sacramentos estarem no centro do pensamento da espiritualidade vivida em comunidade:

> Tanto o batismo como a Ceia apontam para algumas realidades que precedem e transcendem qualquer debate sobre a instituição. Eles apontam para o fato de que a Igreja de Jesus Cristo é uma realização divina, e não humana. Um pequeno grupo de cristãos que eu convido para virem à minha casa para, juntos, estudarmos a Bíblia e orar não constitui, por si só, uma igreja. A Igreja não é constituída por aqueles que eu seleciono e convido para estarem comigo na minha casa. É constituída por aqueles que foram chamados e salvos por Cristo, batizados em Cristo e que participam da mesa que celebra a ressurreição de Cristo. Eu

tenho grupos de amigos que se reúnem na minha casa, porém, isso não constitui a Igreja.[7]

Além disso, a comunidade de fé é o ambiente onde podemos ter quem se alegre com nossas alegrias e chore o nosso choro (Rm 12.15), intercedendo por nós e ouvindo confissões sinceras (Tg 5.16). Como teremos quem ore por nós em nossas angústias se nos afastamos daqueles que acreditam na oração como meio de encontro com o Divino e nos isolamos?

O escritor e missionário Ted Kluck ressalta essa realidade, ao lembrar que há pecado no mundo e, como resultado, todas as pessoas apresentam dificuldades e enfrentam confusões. Ele acredita que praticamente todas as famílias da igreja de que é membro já passaram por situações difíceis, como perda de emprego, câncer, infarto, discórdia conjugal, infertilidade, morte de um filho "ou uma miríade de outras situações difíceis". O que embeleza essa situação, em sua opinião, é a reação dos irmãos a esses problemas:

> Durante esses momentos, vi o Corpo de Cristo em funcionamento de maneiras maravilhosas. Vi pessoas entregarem de maneira sacrificial seu dinheiro e seu tempo. Pessoas oraram por mim e eu orei por pessoas. Versículos apareceram em nossa caixa de correio todos os dias durante um mês. Também tive o privilégio de orar por outras pessoas em dificuldade.[8]

Além disso, é também no meio dos demais cristãos onde ouvimos a exposição da Palavra de Deus (sim, muitas vezes por pessoas cheias de falhas), que nos edificará, consolará e exortará, e onde louvaremos a Deus em comunhão (Hb 2.11-12). A adoração a Deus na terra, em coletividade, é uma expressão do que acontece no mundo espiritual, entre os anjos e os santos (Ap 5.11; 7.9-10).

O pastor Richard Foster traduz a experiência da adoração coletiva: "Quando estamos verdadeiramente reunidos na adoração, acontecem coisas que jamais ocorreriam isoladamente", reverberando o que o reformador Martinho Lutero disse, ainda no século 16: "Em casa, em minha própria casa, não há calor ou vigor em mim, mas na igreja, quando a multidão se congrega, uma chama é acesa em meu coração e se espalha".[9]

O teólogo Augustus Nicodemus Lopes afirma não ter ilusões quanto ao estado atual da igreja: "Ela é imperfeita e continuará assim enquanto eu for membro dela". Segundo ele, a teologia reformada é explícita sobre o estado de imperfeição, corrupção, falibilidade e miséria em que a igreja militante se encontra no presente, enquanto aguarda a vinda de Jesus, ocasião em que se tornará Igreja triunfante. Ao mesmo tempo, destaca Augustus, a teologia dos reformadores ensina que não se pode ser cristão sem a igreja, pois, apesar de tudo, "precisamos uns dos outros, precisamos da pregação da Palavra, da disciplina e dos sacramentos, da comunhão de irmãos e dos cultos regulares". E conclui: "Cristianismo sem igreja é uma outra religião, a religião individualista dos livre-pensadores, eternamente em dúvida, incapazes de levar cativos seus pensamentos à obediência de Cristo".[10]

Ziel Machado ecoa as afirmações de Augustus e chama atenção para o papel da comunidade no processo de restauração de uma pessoa ferida na igreja. Ele aponta um problema que está na raiz do fato de muitos não ficarem curados: "A ironia é que a pessoa ferida *fulaniza* a crise, isto é, atribui a indivíduos a culpa por seus machucados, e, por essa razão, se afasta não só do indivíduo, mas da comunidade, que era justamente quem poderia ajudá-la no processo de perdão e cura".

Portanto, fugir de um problema provocado pelo pecado — o machucado na igreja — vivendo um modelo de espiritualidade que não está de acordo com a vontade divina — o da vida espiritual isolada e distanciada dos demais filhos de Deus — certamente não parece ser a solução. Como sempre me ensinou minha mãe, "um erro não justifica outro". Ou, como assevera Stephen Mansfield: "Temos de decidir se viveremos o que Jesus chamou de 'vida cristã' ou se inventaremos uma nova religião chamada 'Salvação do Meu Jeito'".[11]

Da igreja institucional para o abandono da fé

A diferença principal entre os chamados "desigrejados" e os "desviados" é que, enquanto aqueles preservam sua crença nas doutrinas e práticas cristãs ensinadas na Bíblia, os "desviados" rompem com elas. Ao cortar as relações institucionais com a igreja local de que fazia parte, o "desviado" passa a questionar ensinamentos do evangelho e, por essa razão, abandona o modo de pensar de um cristão, mudando, em consequência disso, muito de sua maneira de falar e agir. Não são poucos os que retomam antigas práticas pecaminosas e velhos vícios. É o que, no jargão, se chama "voltar para o mundo".

Cristo foi enfático ao dizer: "Eu sou o caminho, a verdade e a vida. Ninguém pode vir ao Pai senão por mim" (Jo 14.6). Pedro reafirmou essa realidade ao dizer sobre Jesus: "Não há salvação em nenhum outro! Não há nenhum outro nome debaixo do céu, em toda a humanidade, por meio do qual devamos ser salvos" (At 4.12).

Portanto, a salvação vem por meio da fé em Jesus Cristo como Salvador e Senhor de sua vida, por meio da graça, crendo que ele morreu por seus pecados. E quem crê nisso necessariamente se arrependerá de seus pecados e realizará as boas ações consequentes da fé em Cristo, porque "a fé sem as obras é inútil" (Tg 2.20).

Quem foi ferido na igreja ou pela igreja e, por isso, deu as costas às boas-novas de Cristo, rejeitando os ensinamentos cristãos e seus mandamentos, está em uma situação bastante complicada. Essa postura não sarará feridas nem evitará novos machucados e, pior, evidencia um distanciamento da graça de Deus com terríveis consequências eternas. É a mais grave de todas as posturas.

Se é o seu caso, a mensagem bíblica é: arrependa-se de seus pecados e volte urgentemente para os braços do Pai, por meio da obra da cruz e da ressurreição de Cristo, o único caminho, fora de quem não há salvação. E lembre-se: Cristo é o único capaz de sarar as feridas de sua alma e fazer brotar em seu coração as virtudes necessárias para levá-lo a suportar eventuais novos machucados sem que isso o deixe prostrado e derrotado. O amor de Deus não encontra reservas e ele está de braços abertos para inundar você com seu amor. A questão é: quão grande é o *seu* amor por Deus? O que é mais forte, o seu amor por ele ou as feridas que lhe causaram na igreja? Brennan Manning deixa o conselho: "Corra para os braços daquele que o ama sem reservas e do jeito que você se encontra agora".[12]

A realidade é que, longe do Senhor, você está por conta própria e terá de lidar com seus machucados de acordo com a força do seu próprio braço. Já com ele há uma belíssima promessa:

Confie no Senhor e faça o bem,
e você viverá seguro na terra e prosperará.
Busque no Senhor a sua alegria,
e ele lhe dará os desejos de seu coração.
Entregue seu caminho ao Senhor;
confie nele, e ele o ajudará.
Tornará sua inocência radiante como o amanhecer,
e a justiça de sua causa, como o sol do meio-dia.

Salmos 37.3-6

• • •

Se você se enxerga em alguma das três situações que descrevemos, preciso repetir que meu objetivo com este livro não é convencer você a retornar a uma igreja organizada. Essa é uma decisão sua. Exclusivamente sua, sob a orientação do Espírito Santo. Mas, como minha proposta é apontar-lhe o caminho da cura das feridas que você sofreu na igreja ou pela igreja, em nome da honestidade e do amor preciso enfatizar que, se você tomou a decisão de afastar-se com o objetivo de não mais se machucar no ambiente eclesiástico, está buscando o caminho errado. Essa atitude não resolverá nada. Nesse sentido, sua decisão é inócua. Um placebo.

Stephen Mansfield encontrou a cura para suas feridas após ter sido duramente confrontado por um grupo de amigos. Por isso, ele tem um jeito direto e nada paternalista de lidar com a questão, evitando tratar as pessoas machucadas como "coitadinhos". "Quando nos sentimos feridos pela igreja, muitas vezes dizemos que vamos continuar amando Jesus, mas não queremos mais nada com seu povo. Dizemos isso para aliviar nossa dor, mas somos tolos quando o fazemos", afirma. Ele embasa sua afirmação em 1João 4.20

("Se alguém afirma: 'Amo a Deus', mas odeia seu irmão, é mentiroso, pois se não amamos nosso irmão, a quem vemos, como amaremos a Deus, a quem não vemos?") e enfatiza que a Bíblia deixa claro que não podemos amar Jesus e odiar seu povo. "Pensar que temos o direito de amar a Deus e odiar o seu povo é pecado. E, talvez, tão importante, é impossível. Francamente, quando pensamos que estamos amando Jesus, mas odiamos o seu povo, estamos realmente amando Jesus tão pouco que seu povo não importa mais."[13]

Lisânias Moura, pastor da Igreja Batista do Morumbi, em São Paulo (SP), recomenda a pessoas que se sentiram machucadas na igreja por pastores, líderes ou outros irmãos em Cristo que reconheçam com graça que são indivíduos falhos. "É fato que eles têm muitas vezes egos aumentados, mas, às vezes, eles também erram involuntariamente", diz. Lisânias orienta o cristão ferido a não se afastar, mas, sim, procurar quem o ofendeu para expressar suas eventuais decepções. "Pode ser um caminho curador. Mesmo que o ofensor não admita o erro, perdoar é o caminho para se viver uma vida livre e refletir Jesus — que, da mesma forma, foi ferido, traído e abandonado por aqueles que ele mais amou."

É fundamental lembrar, ainda, que, por mais que haja pessoas nas igrejas que se deixam vencer pelo pecado e, com isso, machucam outros, também há multidões de pessoas maravilhosas. Julgar o todo pelas partes é pecar pelo generalismo. Há muitos irmãos e irmãs piedosos nas igrejas, pastores sinceros diante do Senhor e preocupados com o rebanho, líderes que amam a Deus e ao próximo como a si mesmos.

Também há nas igrejas muitos bons samaritanos, que tiram de si para dar ao próximo. Há pessoas decentes, corretas, amáveis, ajudadoras. Quem pode negar isso? Será que abrir mão da convivência com tanta gente com quem vale a pena se relacionar por causa de alguns que se deixam manipular pelo pecado é realmente o melhor a fazer? Será que Jesus alguma vez ensinou isso? Ou os apóstolos ensinaram? Kevin DeYoung expõe bem essa questão, num relato que merece ser lido com atenção:

Apesar de toda a bagunça que já vi na igreja, também testemunhei incrível sacrifício e generosidade. Fiquei maravilhado diversas vezes diante de todas as pessoas que vêm voluntariamente para o culto no domingo, dão de seu tempo e seu dinheiro e dedicam-se a amar aqueles que são ou que já foram completamente estranhos. Já vi um número enorme de recém-chegados ser convidados para jantar. Fui levado às lágrimas ao ouvir as pessoas dizer que estão orando por mim e, por conhecer o caráter delas, sei que é verdade. Vi pessoas feridas ser cercadas em oração por uma família eclesiástica amorosa. Vi a igreja ajudar com extrema generosidade os necessitados. Vi muitas pessoas realizando seu trabalho na comunidade e na igreja em completo silêncio, com pouco alarde, pouco aplauso e pouca conversa sobre mudar o mundo e, ao mesmo tempo, fazendo enorme diferença. Já vi crianças pequenas e casais com o ninho vazio dando a vida para ajudar os necessitados no Mississippi, trabalhando pelos pobres na África ou levando o evangelho a estudantes universitários na Turquia.

Já vi todas essas coisas, bem como uma centena de outros exemplos semelhantes, em todas as igrejas não famosas das quais fiz parte. É fácil a igreja fechar os olhos para seus erros. Mas também é fácil e praticamente difamatório censurar constantemente a igreja por todos os seus erros, como se ela não se importasse com nenhum deles, não ajudasse ninguém ou não fizesse nenhuma diferença para ninguém em lugar nenhum.[14]

Mudar o modelo de organização e reunião com os irmãos não sara feridas. Viver uma espiritualidade distanciada dos outros cristãos não sara feridas. Abandonar a fé não sara feridas. Tampouco essas atitudes o blindam de se machucar novamente no futuro. Simplesmente porque, insisto, o grande causador das feridas não são modelos ou pessoas, muito menos Jesus. É o *pecado*, essa força maligna e destruidora que existe dentro de todos os 7 bilhões de pessoas do planeta.

E como lidar com ele? Se nenhuma dessas atitudes é capaz de curar você dos machucados que sofreu na igreja, o que é capaz? É o que veremos nos próximos capítulos.

Estabelecemos, então, mais uma verdade sobre os machucados que você sofreu na igreja:

> Culpar modelos de igreja ou abandonar a Igreja não vai curá-lo das feridas que sofreu, tampouco evitará que se machuque no futuro.

PARTE 3

Curados

Curados

adjetivo plural

1 que se curaram

2 restabelecidos de saúde, sarados de ferimento ou doença

3 corrigidos quanto a um defeito de comportamento

Vimos até aqui que o caminho rumo à cura dos machucados que você sofreu na igreja é asfaltado por algumas verdades. São realidades que, uma vez compreendidas, facilitam enormemente que enxerguemos as pessoas perversas que nos feriram como espiritualmente doentes, desesperadamente carentes de misericórdia. São seres humanos que possuem uma natureza humana inclinada a pecar e que, nesse sentido, são idênticas a mim e a você.

O resultado de adquirir essa consciência é que nos damos conta de que precisamos, diariamente, do amor, da graça e do perdão de Deus. E, como imitadores de Jesus, devemos estender os mesmos amor, graça e perdão a quem nos machucou. Aquilo que recebemos de graça, de graça devemos dar. Ao fazer isso, estaremos obedecendo ao mandamento de pagar o mal com o bem. E sendo cristãos de fato.

E, em todo esse processo, devemos buscar obedecer à vontade de Deus, sem dar-lhe as costas, sem renegar a fé ou fugir do convívio com os irmãos. Afinal, nada disso trará cura às feridas. De novo: mudar de modelos ou abandonar o evangelho não cura nada. São decisões que não resolvem o problema. Muitas vezes, só o pioram. O Senhor quer nos ver reunidos como corpo, vivendo em graça e realizando obras de amor mútuo, contribuindo da melhor forma possível uns com os outros.

Não devemos achar que abandonar o barco ou mudar de barco nos ajudará a parar de sofrer com os maremotos. Não é assim que o alívio virá. Precisamos permanecer e contribuir para a transformação, o arrependimento e a cura. Como? Por meio do único mecanismo espiritual e emocional capaz de sarar as feridas do passado e tratar os machucados que possamos vir a sofrer no futuro.

O perdão.

12
Perdão total: a cura

> Portanto, o reino dos céus pode ser comparado a um senhor que decidiu pôr em dia as contas com os servos que lhe deviam. No decorrer do processo, trouxeram diante dele um servo que lhe devia sessenta milhões de moedas. Uma vez que o homem não tinha como pagar, o senhor ordenou que ele, sua esposa, seus filhos e todos os seus bens fossem vendidos para quitar a dívida. O homem se curvou diante do senhor e suplicou: "Por favor, tenha paciência comigo, e eu pagarei tudo". O senhor teve compaixão dele, soltou-o e perdoou-lhe a dívida.
>
> MATEUS 18.23-27

Perdão. Esse é o único caminho possível para a cura de quem foi machucado na igreja ou pela igreja. Nenhum outro consegue livrar pessoas feridas do veneno do ódio, da ira, do revanchismo e do ressentimento, males que intoxicam quem os carrega no peito e os mantêm presos a laços diabólicos de rancor e desejo de vingança. O perdão é o caminho que foi pavimentado pelo próprio Cristo para nos levar da dor à paz.

Tudo o que vimos neste livro até aqui teve como objetivo nos conduzir até este ponto. Cada um dos conceitos que aprendemos desaguarão agora no oceano do perdão, onde é possível se lavar dos machucados sofridos. Mas, para que você compreenda o processo bíblico que permite a uma pessoa ferida deixar a dor para trás e alcançar a paz, tem de entender com clareza o que significa perdoar.

Desde que a Editora Mundo Cristão publicou, em 2014, meu livro *Perdão total: Um livro para quem não se perdoa e para quem não consegue perdoar*, tenho sido convidado para pregar e palestrar em muitos lugares sobre esse assunto. Isso me permitiu ter contato com grande quantidade de homens e mulheres nos corredores desses eventos ou durante sessões de perguntas e respostas. O mesmo ocorre por meio do meu *blog*.

Nessas ocasiões, percebo com muita clareza que a maioria das pessoas possui numerosas dúvidas sobre o real significado de perdoar. Todos sabemos que precisamos fazê-lo, mas poucos compreendemos com exatidão em que consiste o perdão bíblico e quais são suas implicações espirituais e práticas.

Curiosamente, os questionamentos que chegam a mim são sempre muito parecidos. Não importa se estou no Brasil ou em Cingapura; em Manaus, São Paulo ou Campina Grande; num ambiente eclesiástico ou não; numa igreja batista, pentecostal ou presbiteriana; num auditório com uma dúzia de pessoas ou com três mil. Em todos os âmbitos, fica claro que existe uma enorme sede por esclarecimentos e aprofundamentos em questões elementares: "Perdoar é esquecer?", "Se eu perdoar alguém, terei de voltar a conviver com ele?", "Só devo perdoar quem me pede perdão?", "Se o outro segue cometendo os mesmos erros, preciso continuar perdoando?", "Não sinto vontade de perdoar, o que devo fazer?" e muitas perguntas semelhantes.

Assim, desejo esclarecer os questionamentos mais importantes e frequentes sobre a realidade e a prática do perdão. Meu objetivo é que você compreenda melhor seu real significado, entenda como se perdoa na prática, perceba a que esse ato está atrelado, enxergue os limites e tenha contato com outras questões que precisam estar claras a fim de que você possa alcançar a paz e ser sarado dos machucados que lhe causaram na igreja.

Ricardo Agreste, pastor da Comunidade Presbiteriana Chácara Primavera, em Campinas (SP), lança um desafio em seu depoimento ao livro *Feridos em nome de Deus*. Ele diz que "é preciso descobrir um caminho de cura que alcance tanto a alma do rebanho quanto a de seus pastores".[1]

Permitam-me dizer: *esse caminho é o do perdão*.

Perdão total é o cancelamento total de uma dívida

Quando alguém faz mal a outra pessoa, o ofensor contrai uma dívida moral e espiritual com o ofendido. Se não existe arrependimento sincero de quem provocou o machucado, essa dívida ficará eternamente pendente, sem quitação. Isso prejudica todos os envolvidos: o ofensor, porque um dia terá de prestar contas a Deus da culpa por seus atos e suas palavras, e o ofendido, porque carregará pelo resto da vida um fardo enorme de amargura e ressentimento, que envenenará seu coração e não o deixará ter paz.

Por essa razão, quem foi machucado na igreja ou pela igreja deve perdoar quem o machucou, seja um líder eclesiástico, seja um irmão ou uma irmã, pois, biblicamente, o perdão total é a única forma de semear o amor e a paz no mundo e de cumprir a vontade soberana de Deus.

A melhor forma de entender o perdão é como o *cancelamento de uma dívida*.

Perdoar é estender clemência a alguém que precisaria cumprir uma pena; é um indulto, um ato pelo qual a pessoa é desobrigada a cumprir o que era seu dever ou obrigação. Passou-se a borracha. Acabou. *Livre!* Jesus explicou claramente o real significado de perdão na história conhecida como "parábola do credor incompassivo".

No relato, um servo devia uma fortuna ao seu senhor, e não era pouca coisa. Qualquer ofensa ou erro que cometemos tem um custo altíssimo. E o homem não tinha condições de pagar o débito, assim como nós também não temos como pagar ofensas que cometemos. A única forma de essa dívida ser satisfeita? "O senhor teve compaixão dele, soltou-o e perdoou-lhe a dívida" (Mt 18.27).

Cada erro que alguém comete contra você é um tanto a mais que ele lhe deve. Muitos erros somados configuram uma dívida enorme. Uma empresa que se afunda em dívidas logo não terá nada a fazer a não ser pedir falência e fechar as portas. A mesma coisa ocorre com os erros cometidos no ambiente da igreja: se forem cometidos sem que se faça nada a respeito, em pouco tempo o tamanho da dívida acumulada será tão grande que alguém acabará machucado, traumatizado, "desigrejado" ou "desviado".

A saída para lidar com essa dívida impagável?

Perdoá-la.

O mais belo no ato de perdoar é que ele leva à solidificação do amor e promove a vontade de Deus, como Jesus demonstrou ao conversar com um homem chamado Simão.

> Então Jesus lhe contou a seguinte história: "Um homem emprestou dinheiro a duas pessoas: quinhentas moedas de prata a uma delas e cinquenta à outra. Como nenhum dos devedores conseguiu lhe pagar, ele generosamente perdoou ambos e cancelou suas dívidas. Qual deles o amou mais depois disso?". Simão

respondeu: "Suponho que aquele de quem ele perdoou a dívida maior". "Você está certo", disse Jesus. [...] "Mas a pessoa a quem pouco foi perdoado demonstra pouco amor."

Lucas 7.41-43,47

Perdão é isto: conceder indulto a alguém que lhe deve muito, numa atitude motivada pelo amor e que promove e multiplica esse mesmo amor.

O pastor e poeta Gerson Borges embeleza a explicação: "Perdoar é não cobrar mais a dívida e assumir o prejuízo desse ato de perda. O perdão é uma grande perda, um *perdão*. Mais que um trocadilho, isso é um *insight* sobre a realidade do perdão. Alguém já disse que perdão é graça encarnada. Assino embaixo!".

Perdoar é pôr em prática o maior mandamento

O evangelho de Jesus Cristo tem um alicerce: o amor. Sem ele, tudo o mais vem abaixo. Primeiro, o amor por Deus. Segundo, o amor pelo próximo. Essa realidade foi exposta e reafirmada por Jesus. Em certa ocasião, um dos mestres da lei judaica estava ouvindo Jesus e, em determinado momento, lhe perguntou: "De todos os mandamentos, qual é o mais importante?". Jesus respondeu que o mandamento mais importante é: "Ouça, ó Israel! O Senhor, nosso Deus, é o único Senhor. Ame o Senhor, seu Deus, de todo o seu coração, de toda a sua alma, de toda a sua mente e de todas as suas forças". Mas o mandamento não termina aí. O Mestre continua: "O segundo é igualmente importante: 'Ame o seu próximo como a si mesmo'. Nenhum outro mandamento é maior que esses" (Mc 12.28-31).

Tenho consciência de que isso soa bastante estranho aos ouvidos de muitos, já que vivemos numa civilização e numa época — a chamada era pós-moderna — em que o "eu" tornou-se o centro do universo. Mas esse pensamento não se encaixa nos ensinamentos de Deus. O apóstolo Paulo deixa claro: "Não se preocupem com seu próprio bem, mas com o bem dos outros" (1Co 10.24).

Faça um teste: na esmagadora maioria das vezes em que você perguntar a alguém qual é o contrário de *amor*, a resposta será *ódio*. Mas não é. O oposto de *amor* é *egoísmo*. E recusar-se a perdoar é pôr o ego acima da vontade de Deus. Com isso, as portas para a ação do mal são escancaradas, como Paulo afirmou: "Se vocês perdoam esse homem, eu também o perdoo. E, quando eu perdoo o que precisa ser perdoado, faço-o na presença de Cristo, em favor de vocês, para que Satanás não tenha vantagem sobre nós, pois conhecemos seus planos malignos" (2Co 2.10-11).

Espere um momento. A respeito de quem Paulo está falando aqui? Quem é "esse homem" a quem o apóstolo se refere e que ele diz que perdoa, instando os membros da igreja de Corinto a também perdoar? O contexto dessa passagem mostra que ele está se referindo a um cidadão que havia machucado, no ambiente eclesiástico, os membros da igreja de Corinto. Temos aqui um exemplo bíblico de uma situação de um indivíduo que machucou outros na comunidade de fé. E qual é a orientação de Paulo com relação a ele?

Não exagero quando digo que o homem que causou tantos problemas magoou não somente a mim, mas, até certo ponto, a todos vocês. A maioria de vocês se opôs a ele, e isso já foi castigo suficiente. *Agora, porém, é hora de perdoá-lo e confortá-lo*; do contrário, pode acontecer de ele ser vencido pela tristeza excessiva. *Peço, portanto, que reafirmem seu amor por ele.*

2Coríntios 2.5-8

Que atitude belíssima e que serve de exemplo a todos nós! Essa é uma passagem central e modelar sobre a postura que você e eu devemos ter quando alguém nos machuca na igreja. Perceba que o homem mencionado por Paulo "causou tantos problemas" e "não somente a mim, mas, até certo ponto, a todos vocês". Isso lembra alguém na sua vida? Quem você conhece na sua situação que se encaixaria nessa definição, no contexto da igreja? Pois bem, se essa descrição define bem quem o machucou na igreja, eis o caminho para a cura desse machucado, segundo Paulo:

1. "É hora de perdoá-lo";
2. "Reafirmem seu amor por ele".

Impressionante. Somos chamados a *perdoar* e *amar* quem nos causou muitos problemas e nos magoou! Essa é a única atitude possível para cumprir o mandamento de Cristo, conforme explicam as três passagens bíblicas que reproduzo a seguir. Sugiro que leia esses três trechos atentamente e sem pressa, por mais que já os conheça, meditando em cada afirmação. Leve em conta que, segundo os dicionários, "inimigo" significa "quem se encontra em oposição", "quem se mostra hostil", "quem milita em campo contrário", "indivíduo que tem ódio a outro, ou que lhe é antagônico, hostil". Eu me atreveria a dizer que a pessoa que machucou você na igreja se encaixa bem em uma ou mais dessas definições. Com essa realidade em mente, por favor, leia com atenção:

Vocês ouviram o que foi dito: "Ame o seu próximo" e odeie o seu inimigo. Eu, porém, lhes digo: amem os seus inimigos e orem por quem os persegue. Desse modo, vocês agirão como verdadeiros filhos de seu Pai, que está no céu. Pois ele dá a luz do sol tanto a maus como a bons e faz chover tanto sobre justos como injustos. Se amarem apenas aqueles que os amam, que recompensa receberão?

Mateus 5.43-46

Mas a vocês que me ouvem, eu digo: amem os seus inimigos, façam o bem a quem os odeia, abençoem quem os amaldiçoa, orem por quem os maltratam. [...] Façam aos outros o que vocês desejam que eles lhes façam. Se vocês amam apenas aqueles que os amam, que mérito têm? Até os pecadores amam quem os ama. E, se fazem o bem apenas aos que fazem o bem a vocês, que mérito têm? Até os pecadores agem desse modo. [...] Portanto, amem os seus inimigos, façam-lhes o bem e emprestem a eles sem esperar nada de volta. Então a recompensa que receberão do céu será grande e estarão agindo, de fato, como filhos do Altíssimo, pois ele é bondoso até mesmo com os ingratos e perversos. Sejam misericordiosos, assim como seu Pai é misericordioso.

Lucas 6.27-28,31-33,35-36

Abençoem aqueles que os perseguem. Não os amaldiçoem, mas orem para que Deus os abençoe. Alegrem-se com os que se alegram e chorem com os que choram. Vivam em harmonia uns com os outros. [...] Nunca paguem o mal com o mal. Pensem sempre em fazer o que é melhor aos olhos de todos. No que depender de vocês, vivam em paz com todos. Amados, nunca se vinguem; deixem que a ira de Deus se encarregue disso, pois assim dizem as Escrituras: "A vingança cabe a mim, eu lhes darei o troco, diz o Senhor". Pelo contrário: "Se seu inimigo estiver com fome, dê-lhe de comer; se estiver com sede, dê-lhe de beber. Ao fazer isso, amontoará brasas vivas sobre a cabeça dele". Não deixem que o mal os vença, mas vençam o mal praticando o bem.

Romanos 12.14-21

Façamos um resumo desses mandamentos:

- Deus nos ordenou amar os inimigos e não os odiar.
- Deus nos ordenou orar em favor de quem nos persegue e abençoá-los, pedindo ao Senhor que os abençoe.
- Deus nos ordenou fazer o bem a quem nos odeia.
- Deus nos ordenou abençoar quem nos amaldiçoa.
- Deus nos ordenou orar por quem nos maltrata.
- Deus nos ordenou ser misericordiosos com nossos inimigos.
- Deus nos ordenou fazer a nossa parte para viver em paz com todos.
- Deus nos ordenou nunca nos vingarmos (e, não custa lembrar, "nunca" significa "jamais", "em nenhuma circunstância").
- Deus nos ordenou fazer o bem a quem nos machucou.

Recomendo que você medite frequentemente nessas três passagens bíblicas e reflita sobre esses mandamentos, construídos sobre o alicerce do amor e da graça. Devemos cumpri-los sabendo que amar os inimigos, abençoá-los, fazer-lhes o bem e orar por eles é a atitude esperada dos filhos de Deus. Fazer isso é garantia de receber dos céus grande recompensa, enquanto odiar quem nos fez mal não nos dá recompensa alguma, tampouco amar quem nos ama, pois até os pecadores fazem isso.

Como explica o teólogo Miroslav Volf: "Abraçar a essência da fé cristã significa precisamente deixar-se arrastar para além da zona do conforto e entrar no arriscado território marcado pelo compromisso de amar os próprios inimigos".[2]

Hernandes Dias Lopes define o caminho para vivenciar esse amor pelos inimigos: "O perdão é a assepsia da alma, a faxina da mente, a alforria do coração, a cura das emoções. Perdoar é lembrar sem sentir dor. Perdoar é zerar a conta e não cobrar mais a dívida. O perdão é ato de misericórdia e manifestação da graça. O perdão é absolutamente necessário".[3]

Com isso em mente, pense: qual tem sido a sua postura com relação a quem o feriu na igreja? Você tem cumprido esses mandamentos? Tem agido como Deus espera? Ou tem feito o que qualquer pessoa, mesmo as que não têm aliança com Cristo, fazem? Que mérito há na sua postura?

A Bíblia deixa claro: perdoar quem nos machucou é amar o próximo e a Deus; não perdoar é tentar implodir tudo aquilo que Jesus construiu na terra. Como explica Miroslav Volf:

> [...] amar aqueles que me prejudicam era precisamente o caminho difícil pelo qual Jesus me chamava a segui-lo — um caminho que reflete mais que qualquer outro a natureza do seu e meu Deus. Não seguir por esse caminho seria trair o Único que é a fonte da vida e passar por cima do objetivo principal de todos os nossos desejos. Seria também um desperdício desastroso da minha própria alma.[4]

Osmar Ludovico é um dos pastores brasileiros mais dedicados a cuidar de pastores machucados e desanimados, com um ministério que já se tornou referencial até mesmo no exterior. Osmar tem ampla experiência em tratar pessoas que foram emocional e espiritualmente oprimidas no ambiente eclesiástico. Quando lhe pergunto se é possível uma pessoa ser sarada de seus ferimentos sem passar pelo caminho do perdão, ele é enfático em dizer que não: "Somente o perdão pode curar o ressentimento, a amargura e o ódio". Porém, Osmar faz uma ressalva: não é um processo rápido. "Dependendo da ofensa, é um processo que leva tempo e deixa marcas", alerta.

A psicóloga Alda Fernandes faz coro com Osmar: "O perdão é um processo, às vezes, longo. Não se trata de um benefício direcionado a quem nos prejudicou; o perdão é um benefício para nós mesmos. Quando entendemos isso, tiramos o foco do 'mal' e da 'raiva' em relação ao outro e focamos no 'bem' e na 'paz' em relação a nós mesmos. Perdão é saúde, seja dentro, seja fora da igreja. Sendo assim, o perdão é como uma medicação".

Mesmo que leve tempo, pessoas machucadas não podem ficar alheias ao processo do perdão. Antes, devem buscar obedecer a Deus, pôr em prática as ações necessárias e, assim, encontrar o caminho da paz. É importante que você saiba que só conseguirá perdoar e amar quem lhe fez mal se compreender com total clareza que seu inimigo só se tornou seu inimigo por causa do pecado que milita na natureza humana. Que ele só foi injusto com você, só o odiou, amaldiçoou, maltratou ou perseguiu porque estava sob o domínio do pecado. Ele deu mais ouvidos ao pecado de seu coração do que ao Espírito Santo e se deixou enredar.

Portanto, odiar a pessoa que o feriu não adianta nada. Você precisa canalizar todo o seu ódio para o pecado e olhar para a pessoa com graça, compaixão e, por fim, amor. Se conseguir alcançar esse entendimento e viver o perdão e o amor na prática, será capaz de alimentar quem o machucou quando ele tiver fome, dar-lhe água quando tiver sede, fazer-lhe o bem, abençoá-lo e orar em favor dele.

"Para restabelecer seus vínculos com a comunidade — vínculos afetivos, não de membresia ou de simples presença nos cultos —, a pessoa precisa lidar com a dor que carrega", argumenta Lisânias Moura. "A comunidade é composta por pecadores carentes da graça. E não temos como viver da graça que Deus nos dá sem estendermos essa mesma graça aos que nos ofenderam."
Lisânias concorda que, naturalmente, há um processo e um tempo para a cura. "Mas, sem perdão, o ofendido experimentará apenas a presença na comunidade. Com o perdão, ele está livre para, afetivamente, dar e receber, perdoar e ser perdoado." Se a pessoa machucada conseguir perdoar, o veneno do ressentimento e da mágoa escoarão para fora de sua alma e ela será liberta do ódio, do ressentimento, da dor e do desejo de vingança.

E encontrará a paz.

• • •

Todas as seis verdades que vimos até aqui tiveram como objetivo prepará-lo e conscientizá-lo acerca de alguns conceitos importantes para que você consiga perdoar quem o machucou e, assim, encontrar a paz. Agora, vamos partir para a cura propriamente dita, com a sétima verdade:

> Deus espera que você faça o bem a quem o machucou e ore em favor dele, que abençoe essa pessoa e peça a Deus que a abençoe, que seja misericordioso com ela como ela não foi com você, e que faça o possível para que vocês vivam em paz, abandonando todo desejo de vingança. Isso é viver o amor na prática.

13
Perdoar exige fé e esforço

....

Muitos de seus discípulos disseram: "Sua mensagem é dura. Quem é capaz de aceitá-la?". Jesus, sabendo que seus discípulos reclamavam, disse: [...] "Por isso eu disse que ninguém pode vir a mim a menos que o Pai o dê a mim". Nesse momento, muitos de seus discípulos se afastaram dele e o abandonaram.

João 6.60-61,65-66

Eu sei o que deve estar passando na sua cabeça neste momento: "Mas, Zágari, essa proposta é muito dura! É muito difícil perdoar aquela pessoa que me machucou! Como vou fazer o bem a quem me fez tanto mal? Se eu for orar pelo bem dela e abençoá-la estarei sendo hipócrita, pois não sinto vontade alguma de fazer isso! Não tenho como amar alguém que me feriu tanto! Você está dizendo isso porque não passou pelo que eu passei. Falar é fácil, mas, na prática, é muito difícil!".

Se esse é o seu pensamento neste momento, quero dizer que você tem toda razão: essa palavra é mesmo muito dura. O machucado que sofreu, causado por quem deveria cuidar de você e amá-lo como Jesus ama, foi uma ferida profunda, dolorosa e traumatizante. Porém, você precisa lembrar que as boas-novas de Cristo nos propõem um caminho realmente difícil. Se está achando que o caminho do amor e do perdão de quem o machucou na igreja é duro demais, saiba que sua postura não é novidade alguma. No texto de João no início deste capítulo, vemos que, em certa ocasião, muitos dos discípulos de Jesus lhe disseram a mesmíssima coisa.

Jesus nunca enganou ninguém. Ele deixou claro desde o princípio que seguir o evangelho é duro. Obedecer a Deus exige de nós abnegação, renúncia e firmeza ante uma sociedade que, em grande parte, não acredita na ética cristã. Muitos dos primeiros discípulos de Cristo o abandonaram quando se deram conta de que fazer aquilo que ele ensinava era difícil. Mas Jesus foi totalmente transparente, ao dizer: "Se alguém quer ser meu seguidor, negue a si mesmo, tome diariamente sua cruz e siga-me. Se tentar se apegar à sua vida, a perderá. Mas, se abrir mão de sua vida por minha causa, a salvará" (Lc 9.23-24). Conosco não é diferente: se algo exige que sigamos pelo caminho mais árduo, frequentemente optamos por mudar de rumo e nos embrenhamos pelas veredas da facilidade.

Apesar da dificuldade, o diretor do centro de estudos L'Abri Brasil, Guilherme de Carvalho, afirma que é impossível reconciliar-se com Deus e ter uma relação autêntica com a Igreja sem perdoar o ofensor. "A razão disso é que a lógica que torna alguém imperdoável aos meus olhos também me torna automaticamente imperdoável e, com isso, envenena todos os meus relacionamentos", afirma. "Uma vez que vejo a culpa dos outros com dureza, a minha própria culpa se cristaliza, tornando-me desesperançado, amargo, perfeccionista, cínico e julgador. Não vejo como alguém pode estar espiritualmente bem e cultivar na mente uma reserva condenatória contra um ofensor."

É importante compreender que a proposta do perdão como a cura para os machucados sofridos na igreja de modo algum deve ser vista como uma receita de bolo, uma fórmula mágica que oferece um modelo pré-fabricado para a cura de almas feridas na igreja. Perdão não é um método. Se você está em busca de um jeitinho fácil de sarar suas chagas emocionais, saiba que não o encontrará na Bíblia. "Se perdoar fosse fácil, seu preço não seria a cruz", lembra Ziel Machado. A proposta bíblica de perdoar quem lhe fez mal é uma jornada em terreno pedregoso, morro acima. Exige fé no que as Escrituras revelam. E não é fácil. Jesus teve de subir por um caminho íngreme, Calvário acima, com uma pesada cruz nas costas, para realizar o sacrifício que nos daria o perdão. De forma análoga, temos de vencer a nós mesmos e a uma série de tentações e impulsos se queremos perdoar e, assim, nos ver livres do ressentimento, da mágoa e da dor. Para viver o perdão que sara os machucados da alma, você precisa mergulhar fundo em seu coração e em sua mente para lidar com seu sofrimento e suas dúvidas. Amadurecimento e crescimento pessoais geralmente são precedidos por dificuldades.

Quando meu livro *Perdão total* foi lançado, recebi um convite do programa de televisão *Sem censura* para ser entrevistado pela jornalista Leda Nagle sobre o tema do livro. Em determinado momento da entrevista, Leda me perguntou:

— Zágari, às vezes perdoar é difícil, não é?

Pensei um pouco e respondi:

— Na verdade, não, Leda.

Com uma cara intrigada, ela redarguiu:

— Não?!

E eu:

— Não. Perdoar não é difícil "às vezes". Perdoar é difícil *sempre*.

Você nunca precisará perdoar alguém que depositou um milhão de dólares na sua conta bancária, que lhe deu uma

Ferrari de presente, que lhe fez um cafuné ou salvou seu filho de um acidente. As pessoas que precisamos perdoar invariavelmente são aquelas que nos fizeram algum mal, que nos roubaram, difamaram, molestaram, machucaram, traíram, magoaram, ofenderam, prejudicaram, desdenharam, abandonaram, perseguiram...

Perdoar é amar quem não é amável.

Perdoar contraria nossa natureza pecaminosa

Você sabe por que perdoar é sempre difícil? Porque a humanidade nasceu debaixo do pecado e, para o pecado, o impulso imediato diante de alguém que nos machuca é revidar, dar o troco, vingar-se, pagar mal com mal. Instintivamente, é o que você e eu somos impulsionados a fazer tão logo alguém nos fere. Porém, se é verdade que "fui crucificado com Cristo; assim, já não sou eu quem vive, mas Cristo vive em mim" (Gl 2.20), devo agir não de acordo com minha natureza humana, mas segundo a natureza divina que habita em meu coração. Lembre-se de que o fruto do Espírito Santo, do qual somos templo e morada, inclui amor, paz, amabilidade, mansidão e domínio próprio, virtudes essenciais para praticarmos diante de alguém que nos machuca.

Imagine que você está à deriva no caudaloso rio Amazonas, que tem uma correnteza fortíssima, uma força extraordinária. Seguir o fluxo das águas é fácil, não exige esforço e nos parece natural fazê-lo. Nossa natureza humana é como esse rio volumoso, e fazer o que é natural aos nossos impulsos pecaminosos é como soltar-se na correnteza e dar plena vazão a esses impulsos. Vingar-se e pagar na mesma moeda é como soltar a âncora, relaxar, boiar e deixar o fluxo nos conduzir.

Por outro lado, fazer o que Deus espera de nós, mas que contraria o fluxo de nossa natureza, é como nadar correnteza acima. Imagine! Pense no esforço brutal que você precisaria fazer para subir o Amazonas na contracorrente, fazendo não o que sente vontade de fazer, mas a vontade soberana de Deus, que é boa, agradável e perfeita, mas não fácil! Seria extremamente difícil e cansativo.

Assim, perdoar quem nos machucou na igreja é nadar contra nossos instintos carnais. Quer cumprir a vontade de Deus? Então prepare-se, pois o esforço será árduo. Quem quer moleza e facilidades não deve seguir o caminho da cruz, como explica Osmar Ludovico a partir de um conceito importante da espiritualidade clássica chamado *ascese*, que é o ato de se exercitar e se esforçar a fim de resistir ao mal e ao pecado e de buscar o bem, a virtude. "Trata-se, em outras palavras, de um combate. É importante resgatar o sentido espiritual do 'esforço' que, para muitos, tem uma conotação negativa, com implicações legalistas e autocentradas."[1]

Essa percepção é importante para evitarmos o erro de acreditar que, para perdoar alguém, devemos esperar "tornar-se fácil" perdoá-lo. Caso contrário, *nunca* perdoaremos pessoa alguma. Perdoar é um exercício de amor, domínio próprio e esforço. Da mesma forma que cancelar a dívida de alguém que lhe deve muito dinheiro é um gesto de grandeza que exige bastante do credor, perdoar também é. O reformador João Calvino recomenda esforço aos que querem progredir no caminho do Senhor: "Em esforço contínuo proponhamo-nos a ser cada dia melhores até que alcancemos a perfeita bondade que devemos buscar toda nossa vida".[2]

Não é fácil perdoar um irmão da igreja que fez montes de fofocas sobre você, um pastor que lhe faltou com a lealdade ao contar a outras pessoas os pecados que você lhe confessou em confiança, um líder autoritário ou indiferente. Mas é o que Deus quer que façamos: exercer o perdão, fruto da graça, que, por sua vez, nasce do amor. E qual é a relação entre o amor e o perdão? O apóstolo Pedro responde: "Acima de tudo, amem uns aos outros sinceramente, pois o amor cobre muitos pecados" (1Pe 4.8).

No entanto, por mais difícil que seja, o perdão é o único caminho para a cura. Quando pergunto a Idauro Campos se concorda com essa afirmação, ele é taxativo: "É absolutamente impossível uma pessoa machucada iniciar uma nova caminhada sem haver perdão. É impossível a cura de seus machucados se ele não perdoar seus ofensores". Idauro compartilha sua experiência pessoal: "Sou cristão há 25 anos, pastor ordenado desde 2004 e pastoreei três comunidades. Jamais conheci um caso sequer de alguém que conseguiu se curar e recomeçar sem perdoar".

Quando sou fraco, então é que sou forte

O machucado que nos causaram pode ser tão doloroso que talvez acreditemos não ter força suficiente para exercer o perdão. Sim, é difícil perdoar quem nos causou feridas profundas. Em momento algum fingiremos que isso é fácil. Em momento algum nos esqueceremos da humanidade da pessoa e de sua sensibilidade à dor na alma. E Deus também não se esquece disso. Mas, por outro lado, é impossível ignorar tudo o que sabemos sobre a malignidade e a toxicidade da falta de perdão. Sendo assim, como se posicionar diante da oposição entre o que *precisa* ser feito e o que se *consegue* fazer? A resposta está, justamente, em Deus.

A Bíblia nos ensina que quando somos fracos é que somos fortes (2Co 12.10). Mas por quê? Porque, quando nos vemos incapazes de algo por nossas próprias forças, desistimos de agir segundo nossos caminhos e entregamos a situação, em dependência, à força do Senhor. Soltamos o leme do barco e deixamos o vento do Espírito determinar a direção, mostrando-nos o que fazer, apesar de nós.

Na prática, isso significa, primeiro, que quem não consegue perdoar precisa meditar profundamente no que a Bíblia diz a esse respeito. Deixe as verdades sagradas invadirem seu coração e se instalarem lá dentro. E essa imersão na Palavra de Deus deve ser feita em uma total entrega ao Senhor em oração. É na oração que colocamos para fora tudo o que dói e desabafamos com o Pai. O peso sai do peito, junto com as lágrimas. E a força vem, pouco a pouco, fazendo brotar o perdão.

Pessoas que, por terem sido feridas na igreja, alimentam um ódio que parece não passar precisam urgentemente perdoar. O apóstolo João diz, sem rodeios: "Se amamos nossos irmãos, significa que passamos da morte para a vida. Mas quem não ama continua morto. Quem odeia seu irmão já é assassino. E vocês sabem que nenhum assassino tem dentro de si a vida eterna" (1Jo 3.14-15).

Odiar, sem perdoar, faz de nós assassinos, pois reter perdão denuncia que existe ódio no coração. O apóstolo João diz que quem afirma estar na luz mas odeia seu irmão continua na escuridão, não sabe para onde vai, porque a escuridão o cegou. E é ele próprio quem derrama o bálsamo sobre seus leitores: "Escrevo a vocês, filhinhos, porque seus pecados foram perdoados pelo nome de Jesus" (1Jo 2.12).

Precisamos viver esse amor perdoador, buscar Deus em oração e assumir nossa fraqueza, permitindo que ele manifeste sua força em nós. Esse é o caminho da paz e do perdão. O outro caminho possível é o da amargura, da raiva e da ira. Porém, seguir por esse caminho é uma decisão que em nada alegra o Senhor: "Não entristeçam o Espírito Santo de Deus, o selo que ele colocou sobre vocês para o dia em que nos resgatará como sua propriedade. Livrem-se de toda amargura, raiva, ira, das palavras ásperas e da calúnia, e de todo tipo de maldade" (Ef 4.30-31).

Isso é o que Deus quer que façamos. E muitos de fato gostariam de seguir pelo caminho que alegra o Senhor, mas, infelizmente, essas pessoas bem-intencionadas acreditam serem incapazes de perdoar. É uma situação que faz muito mal, pois corrói o interior do indivíduo, prejudica o bem-estar da alma e acaba por afastá-lo de Deus.

A cura para quem deseja perdoar, mas não consegue, só pode vir por um caminho: o disciplinado estudo das Escrituras e o persistente aprofundamento em intimidade com Deus, por meio de um relacionamento estreito e verdadeiro com ele. Quando absorvemos as realidades do evangelho, o Espírito Santo age em nossa racionalidade e em nossas emoções e somos curados e libertos da falta de perdão, estendendo amor e perdoando quem nos fez mal.

É o entendimento racional da Palavra de Deus e a compreensão do texto bíblico que nos mostram realidades como a destacada pelo pastor Marco Antonio de Araujo: "A cura não depende do ofensor, mas do ofendido". Ele enfatiza que, mesmo que a pessoa ofendida seja tentada a não perdoar, a Bíblia assevera que essa tentação não é maior que a capacidade de estender perdão. E cita o apóstolo Paulo: "Deus é fiel, e ele não permitirá tentações maiores do que vocês podem suportar" (1Co 10.13).

A Bíblia é a fonte da cura e da libertação daqueles que não conseguem perdoar. O que ela ensina a esse respeito é o que analisaremos no capítulo a seguir. Mas, antes disso, vejamos a oitava verdade sobre os machucados sofridos na igreja:

> Perdoar não é fácil; é uma atitude que exige esforço.
> Se você for esperar se tornar fácil perdoar para fazê-lo nunca perdoará quem o machucou e, consequentemente, nunca ficará curado dos seus machucados.

14
O grande segredo para conseguir perdoar

[...] sejam bondosos e tenham compaixão uns dos outros, perdoando-se como Deus os perdoou em Cristo.

EFÉSIOS 4.32

Esse curto trecho da Bíblia contém o grande e extraordinário segredo para uma pessoa conseguir perdoar quem a machucou, apesar da enorme dificuldade que existe em perdoar na prática alguém que não merece ser perdoado. Perceba que o apóstolo Paulo diz: "perdoando-se *como Deus os perdoou em Cristo*". E como foi exatamente que Deus nos perdoou em Cristo? Para ter essa resposta, precisamos nos transportar para o monte Calvário.

Fico comovido toda vez que leio os relatos bíblicos da crucificação de Jesus. Depois de horas de sofrimentos e torturas, Cristo chega ao lugar chamado Caveira, onde é pregado na cruz. É quando ele se vira para o Pai e ora: "Pai, perdoa-lhes, pois não sabem o que fazem", em referência aos soldados que o executavam e aos líderes religiosos judeus, que articularam sua morte. Que exemplo!

Jesus é injustamente preso, torturado, açoitado, esbofeteado, xingado, menosprezado, acusado, ridicularizado e crucificado para morrer em lenta agonia. Ali, ao pé da cruz, escarnecendo dele, estavam os responsáveis por sua morte:

o povo, as autoridades religiosas judaicas e os soldados romanos. Injustos. Assassinos. Mentirosos. Maus. *Culpados*. Aqueles homens estavam ali para desfrutar cada segundo do espetáculo do sacrifício do justo.

Essa cena nos dá a resposta a como devemos perdoar do mesmo modo que fomos perdoados em Cristo. Repare que absolutamente nenhum daqueles culpados que ali estavam pede perdão a Jesus. E, também, nenhum deles merece ser perdoado. É impossível mensurar a dívida de cada um daqueles homens. Mas, de repente:

"Pai, perdoa-lhes...".

Em outras palavras: "Pai, cancela toda e qualquer dívida que cada um deles contraiu comigo ou contigo por causa dos erros que cometeu, dos males que me fez, dos machucados que me causou". Com aquelas poucas palavras, o agonizante Jesus apaga tudo. *Tudo!* Acabou. Passou. Fim.

Deus nos perdoou, em Cristo, do mesmo modo que perdoou aqueles homens culpados que estavam aos pés da cruz: sem que merecêssemos, por pura misericórdia. Brennan Manning enfatiza que Deus sabe que jamais seremos capazes de perdoar se não vivenciarmos o perdão com que fomos perdoados pelo Senhor. Por isso, precisamos trazer ao pensamento Jesus no Calvário, morrendo em completa solidão no meio de uma tragédia sangrenta. Brennan nos insta a observar como o Senhor "transpira perdão sobre seus torturadores" e como essa atitude nos serve de exemplo, fortalecimento e encorajamento:

> Raramente a cura de um coração é sinônimo de libertação instantânea de amargura, raiva e ódio. Em geral é um crescimento suave rumo à unidade com aquele que se permitiu ser

sacrificado para se tornar nossa paz e esperança para esta vida e para a próxima. A cura pode levar bastante tempo se a dor for muito profunda. Mas ela virá. O Cristo assassinado não é somente um exemplo de heroísmo. Ele é o poder e a sabedoria de Deus, uma força viva no atual estado de ressurreição, força que renova nossa vida e nos permite estender o perdão aos nossos inimigos, pois ele nos perdoou quando éramos seus inimigos.[1]

Deus nos perdoou quando éramos seus inimigos. Não merecíamos. E, ainda assim, seu amor se sobrepôs à sua ira. De igual modo, entenda que você não perdoará quem o ofendeu por merecimento do outro. Mérito não tem nada a ver com isso. Tampouco você deve deixar de estender perdão pelo fato de o ofensor não ter tomado a iniciativa de vir até você pedindo perdão. O que precisa nos motivar a perdoar é a *misericórdia* — isto é, dar ao outro aquilo que ele *não* merece, e não o que ele merece. E por trás da misericórdia está um conceito fundamental das boas-novas de Jesus Cristo: *graça*.

Perdão depende de graça e não de mérito

Graça é o ato de dar algo a alguém que não merece receber. Jesus morreu pela humanidade sem que ninguém merecesse ser perdoado de seus pecados. "Ninguém é justo, nem um sequer", esfrega em nossa cara o apóstolo Paulo (Rm 3.10). Mas, assim como Deus nos perdoou por graça, devemos perdoar os erros de quem nos fez mal pela mesma razão. O que Cristo fez sempre deve ser o nosso exemplo, o modelo a ser seguido:

> Visto que Deus os escolheu para ser seu povo santo e amado, revistam-se de compaixão, bondade, humildade, mansidão e

paciência. Sejam compreensivos uns com os outros e perdoem quem os ofender. *Lembrem-se de que o Senhor os perdoou, de modo que vocês também devem perdoar.* Acima de tudo, revistam-se do amor que une todos nós em perfeita harmonia.

Colossenses 3.12-14

Devemos perdoar porque Deus nos perdoou. Essa é a motivação: o puro desejo de imitar o Senhor e fazer o que agrada seu coração. E isso nos trará cura! Como escreveu Henri Nouwen: "O perdão torna-se a palavra para o amor divino no contexto humano".[2]

Se você tiver qualquer dúvida com relação ao perdão, mire-se no exemplo da graça de Jesus. Leia suas palavras e observe suas atitudes, pois elas demonstram seu amor gracioso. Ao fazer isso, você conseguirá perdoar quem o ofendeu na igreja da mesma maneira que Cristo perdoou seus executores. Mais do que isso: conseguirá perdoar como o Senhor perdoou *você*. Como enfatizou o profeta Daniel ao se ver em meio a um povo que pecou abertamente contra Deus: "Mas o Senhor, nosso Deus, é misericordioso e perdoador, embora tenhamos nos rebelado contra ele" (Dn 9.9).

Ouvimos tanto falar de *graça*, mas muitos de nós não entendem toda a profundidade desse conceito. Graça é Deus estendendo a mão para resgatar quem não merece. A graça perdoa o pecador mediante a fé em Cristo como Senhor de sua vida e Salvador de sua alma. Como explica Miroslav Volf: "Quem perdoa renuncia ao castigo das pessoas que o mereçam e as liberta dos vínculos da culpa".[3] Graça é o Pai amando tanto o pecador que envia o Filho para esvaziar-se de sua glória celestial, tornar-se carne como um de nós e dar a vida em resgate de muitos. E aquele que foi justificado e regenerado naturalmente passa a confessá-lo e, assim, ganha o direito, como filho adotivo, de viver a eternidade na presença do Todo-poderoso.

Isso mostra que graça é algo que independe de quem somos ou do que fazemos. Depende de quem é Deus e do que ele faz. Depende de Deus falar ao nosso coração que somos pecadores, que precisamos nos submeter à justiça e que, se não o fizermos, haverá juízo. Jesus foi exemplo máximo de graça. Stephen Mansfield faz um interessante exercício de imaginação:

> Se Jesus se sentasse em sua igreja em uma manhã de domingo, saberia que a mulher na segunda fila do coro era profundamente crente, mas também dada a picuinhas e fofocas. No entanto, ele cantaria ao lado dela, a amaria completamente e trabalharia no coração dela a fim de torná-la completa. Jesus não teria ilusões sobre ela, nem se confiaria a ela ou deixaria que seu conceito sobre si mesmo subisse ou descesse dependendo da opinião dela a seu respeito.
>
> Jesus também ouviria o pastor pregar um sermão fabuloso, mesmo sabendo dos problemas dele com pornografia ou das suas explosões de raiva ou dos conflitos em casa. Ainda assim, ele o amaria e desfrutaria de sua companhia. E, sim, ele se esforçaria para curá-lo, embora sem impor peso emocional ou espiritual sobre o homem e suas opiniões. O mesmo pode ser verdade para o bispo, o diácono, o empresário, a simpática família da vigésima-segunda fila ou... você.[4]

O combustível da graça é o amor do Senhor. E, enganchado à locomotiva da graça, vem o vagão da misericórdia divina. Os dicionários definem *misericórdia* como "compaixão solícita pela desgraça alheia", "comiseração", "piedade".

Isso necessariamente se materializa na forma de um segundo vagão: o *perdão*. Assim, graça leva à misericórdia, que leva ao perdão. O profeta Isaías revelou que o perdão de Deus é demonstrado como expressão da generosidade de sua graça: "sim, voltem-se para nosso Deus, pois ele os perdoará generosamente" (Is 55.7). Deus exerce sua sabedoria como demonstração de todos os vagões que, juntos, formam o trem da natureza divina: pureza, paz, amabilidade, compreensão, misericórdia, bons frutos, imparcialidade e sinceridade, entre outros (Tg 3.17). Você imagina um trem composto de todas essas qualidades sendo conduzido por alguém que tenha sede de sangue e punição ou por alguém que tem prazer infinito em perdoar?

Sabendo que a motivação do perdão é a graça de quem perdoa, e não os méritos de quem precisa ser perdoado, pergunto: você foi perdoado por Deus, em Cristo, por mérito seu? Não? Então, por que a pessoa que o machucou na igreja precisa merecer o seu perdão?

Se Deus nos perdoa sem que mereçamos, por que não podemos fazer o mesmo com quem nos fez mal? Por que ficamos esperando eterna e amargamente nosso ofensor fazer algo que o torne "digno" do perdão? Se condicionamos o nosso perdão a algo que o ofensor deve fazer, nos distanciamos do amor e do exemplo de Deus, que perdoa por graça, e não por merecimento.

Se as feridas que sofremos são o foco de nossa atenção, sempre que nos lembrarmos delas será para exigir vingança contra quem nos machucou e encontrar meios de fazê-lo se sentir coberto de vergonha, dominado pela culpa ou moralmente inferior. Porém, lembra Miroslav Volf, se estamos inclinados a mostrar boa vontade aos ofensores, podemos rememorar de modo a perdoar-lhes os delitos e, assim, poupar-lhes a vergonha, a culpa e as justas consequências de seus atos.[5]

Já li textos de bons teólogos que defendem que não podemos perdoar quem não se arrependeu da ofensa cometida, isto é, que, para perdoarmos, primeiro nosso ofensor precisa se arrepender. Não posso concordar com isso, de modo algum. Não foi o que Jesus fez na cruz, estendendo o perdão a seus algozes não arrependidos. Não foi o que Estêvão pediu ao Pai, em seu último suspiro, com relação a seus executores não arrependidos. Não foi o que Paulo orou a respeito dos que o abandonaram (2Tm 4.16), e não há sinal de que os tais se arrependeram. Esse pensamento condiciona perdão ao mérito do ofensor e não à graça do ofendido, o que nos afasta da natureza de Cristo. Se queremos ser como Jesus, devemos amar quem não é amável e perdoar por graça e não por mérito. "Perdão não tem a ver com o arrependimento ou conscientização do agressor, mas com uma decisão do agredido", concorda a psicóloga cristã Alda Fernandes.

Façamos como Deus faz: perdoemos não porque quem nos feriu fez algo posteriormente para merecer nosso perdão. Não, nada disso. Perdoemos porque decidimos agir como Deus age: estendendo perdão pela graça que há em nosso coração. "O perdão é um milagre. É obra da graça de Deus em nós e através de nós. É dessa fonte da graça que emana a cura para os relacionamentos quebrados", afirma Hernandes Dias Lopes.[6]

"Não posso me sentir superior a quem me machucou. Quem chama Deus de Pai não pode escolher que irmão tem", diz Ziel Machado. Ele aponta a submissão a Deus como demonstração de um relacionamento espiritual saudável com ele: "Quem não perdoa não se submete a Cristo. A falta de perdão é sempre uma crise de orgulho, que também é pecado". Ziel explica que o perdão é um ato de obediência e adoração a Deus pois, ao perdoar, nos submetemos à vontade do Senhor: "O perdão é o único milagre que Deus entregou em nossas mãos, para realizarmos diariamente".

Quem machucou você não fez a parte dele? O ideal seria que tivesse feito. Mas, ainda assim, perdoe-o, sem que ele mereça. Desse modo, você estará vivendo plenamente a graça que Deus derramou em sua vida. Nelson Bomilcar destaca: "Enquanto a pessoa não decidir seguir pelo caminho do perdão e da compaixão, enquanto ela não tirar a trave do olho, continuará alimentando rancor".

Perdão depende de saber e não de sentir

A Bíblia nos mostra como Jesus se sentia na noite em que foi preso e torturado, em preparação à sua morte na cruz: "Agora minha alma está angustiada [...]. Minha alma está profundamente triste, a ponto de morrer" (Jo 12.27; Mt 26.38). Ainda assim, ele perdoou aqueles que o machucaram. Se fosse se basear somente no que *sentia*, é possível supor que ele não tomaria nenhuma atitude no sentido de estender perdão aos seus algozes. Afinal, sentimentos são traiçoeiros. A verdade bíblica, por outro lado, é sólida, é um porto seguro inabalável. E a graça de Deus não se guia por sentimentos, mas pela verdade.

O mesmo aconteceu com Jó. Assim como Jesus, ele nada fez para merecer seu sofrimento. Era a vítima de uma situação que lhe feriu a alma, as emoções, a espiritualidade e até o corpo. Ainda assim, conseguiu dizer: "Quanto a mim, *sei* que meu Redentor vive e que um dia, por fim, ele se levantará sobre a terra" (Jó 19.25).

Jó sentia muitas coisas quando disse essa frase. Dor. Solidão. Desamparo. Tristeza. Sofrimento. Ele *sentia* o que nenhum de nós deseja sentir. Mas ele *sabia* de algo que deixava todas essas coisas em segundo plano: Deus vive! Ele não me abandonou! Vivemos numa época em que o *sentir* é supervalorizado. Imagine que você está doente. Uma infecção tomou conta de seu corpo, provocando febre e aquele mal-estar característico. Você, então, se dirige ao hospital, e o médico receita um remédio, garantindo que ele resolverá seu problema. Quando você toma a primeira dose do medicamento, parece que nada acontece. Dificilmente alguém já se sente totalmente recuperado de uma infecção após a primeira colherada do antibiótico. O remédio já está em seu organismo e as bactérias já começaram a ser atacadas, mas você continua a não *sentir* nenhum resultado. Se você é como eu, porém, a partir desse momento já passa a ter certa tranquilidade no coração, porque *sabe*, racionalmente, que o processo necessário para ter a saúde restabelecida já está em andamento.

Do mesmo modo, muitas vezes, ficamos esperando *sentir* algo a fim de perdoar quem nos machucou. Cremos que, se *sentíssemos* algo, perdoaríamos com facilidade. Mas não *sentimos* vontade de perdoar, pelo contrário, continuamos *sentindo* mágoa, tristeza, revolta, ira e outros *sentimentos* que nos levam a não perdoar quem nos machucou. A questão é que, biblicamente, perdão não tem nada a ver com *sentir*, tem a ver com *saber*.

O perdão que você tem de estender a quem o machucou não depende de você sentir vontade de perdoar, mas de saber que deve perdoar. "O perdão é mais do que sentimento, é uma atitude. Devemos perdoar porque fomos perdoados e devemos perdoar como fomos perdoados", reforça Hernandes Dias Lopes.[7]

Muitos ensinamentos sobre perdão falham porque apelam para sentimentos e emoções. Propõem que você *sinta* doçura e amor por quem o machucou e, com base nesses sentimentos, estenda perdão. O problema é que sentimentos não se produzem. Se você está triste e eu digo: "Fique feliz! Já! Agora!", no máximo você ficará olhando para minha cara me achando um tanto esquisito, pois ordens não produzem sentimentos. Alguém lhe dizer que "sinta" amor não o fará produzir amor. O perdão vem, na verdade, do conhecimento. Da razão. Mais precisamente, do conhecimento das Escrituras, que promove convicções e, consequentemente, ações.

Eu leio as promessas bíblicas. Descubro como se processa o perdão. Mediante a ação do Espírito, estendo perdão a quem me fez mal. Pronto, está feito. Não vou sentir um calor ou um arrepio que denuncia o perdão. Ele, racionalmente, já foi concedido.

Se você foi ofendido por alguém e acha que precisa esperar sentir algo para perdoá-lo, está seguindo o caminho errado. Você deve fazê-lo porque é o que vai gerar paz, liberdade, leveza e... porque é a coisa certa a fazer. É o que cumpre a vontade de Deus. Portanto, não fique esperando sentir vontade de perdoar. Simplesmente tome a iniciativa. O resto virá depois — e você ficará surpreso com as maravilhas que o perdão é capaz de proporcionar.

Quando peço a Ziel Machado que explique como uma pessoa ferida pode lidar com essa questão, ele lembra que, mais do que tudo, perdoar é o ato máximo de obediência: "No fim das contas, você perdoa não porque quer, mas porque obedece a Cristo. Mesmo quando minha carne não quer perdoar, eu o faço, pois também fui perdoado por Jesus. E, com isso, desarmo a bomba em mim e em quem me ofendeu".

Perdoar não depende de esquecer a dor do machucado

Muita gente acha que só será capaz de perdoar quem o machucou na igreja no dia em que não se lembrar mais da ofensa que sofreu. O problema é que perdoar não significa sofrer amnésia. Perdoar é lembrar-se do erro que foi cometido contra você no passado sem que essa lembrança envenene sua alma no presente.

Façamos um exercício. Você se lembra de alguma vez em que se queimou? Lembra-se da dor que sentiu? Provavelmente, foi bastante doloroso, fez uma bolha, ardeu, não foi fácil. Mas, então, começou a aplicar pomada no local da queimadura e esperou o tempo passar. Agora, deixe-me perguntar: hoje você ainda se lembra da dor que sentiu? Creio que sim. Mas... será que ainda dói? Ouso dizer que não. Pois bem, com o perdão ocorre um fenômeno semelhante.

A pessoa que o machucou na igreja é como a chama, a água fervente ou a panela quente que provocou um grande e dolorido machucado em sua alma. O perdão é como a pomada, que age dia após dia na ferida provocada. Com o passar do tempo, você ainda se lembrará do machucado e da dor que sentiu, mas *a dor não doerá mais*.

Se você não perdoa, estará sempre cutucando o machucado e mantendo a ferida aberta e infeccionada, o que fará que a dor jamais desapareça. O nome dessa atitude é *ressentimento*, substantivo que vem de *"re + sentir"*, isto é, sentir toda a dor que o fez sofrer quando foi ferido de novo, e de novo, e de novo... Porém, se você perdoa, a lembrança ficará, mas a dor não estará mais presente, pois você não a "re + sente". Isso é liberdade. E cura.

Perdoar é dizer "Vamos em frente!", sem ficar com uma âncora presa ao passado. No prefácio do livro *Feridos em nome de Deus*, o pastor Ed René Kivitz ecoa a verdade sagrada de que os autores de abusos contraem com as vítimas uma dívida impagável, e somente as pessoas machucadas podem se livrar da condição de credoras: "O perdão é a recusa da cobrança; quem perdoa abandona as dívidas, literalmente manda embora o fardo pesado das dívidas alheias. As vítimas de abuso que não perdoam continuam a sofrer o dano do abuso".[8]

Quando Deus diz ao seu povo: "E eu perdoarei sua maldade e nunca mais me lembrarei de seus pecados" (Hb 8.12), é óbvio que o onipotente e onisciente Deus não excluiu de sua memória aqueles pecados. Na verdade, ele decide não agir mais como se um dia os erros tenham existido. Pois o perdão tem esse poder. O que aparece no documento de cobrança é: *Dívida zero*. Não há espaço para voltar ao que havia antes. "Se já perdoamos, não trazemos o acontecido para a pauta do dia a dia. É importante evitar remoer os fatos e ficar falando no assunto", orienta a psicóloga Alda Fernandes.

O profeta Miqueias foi direto sobre essa ação divina, ao destacar que não há deus semelhante ao verdadeiro Deus, que perdoa a culpa do remanescente e esquece os pecados dos que lhe pertencem: "Não permanecerás irado com teu povo para sempre, pois tens prazer em mostrar teu amor. Voltarás a ter compaixão de nós; pisarás nossas maldades sob teus pés e lançarás nossos pecados nas profundezas do mar" (Mq 7.18-19). É com base nessa afirmação de Miqueias que surgiu o dito popular: "Deus lança nossos pecados no mar do esquecimento". Embora essa afirmação não exista na Bíblia, reflete corretamente uma realidade bíblica.

A partir do momento em que o perdão é concedido, o erro cometido morre, torna-se um cadáver. E não há como uma pessoa levantar da sepultura um morto que já apodreceu e se decompôs. Desenterrar ossos velhos não faz nenhum sentido. "Onde os pecados foram perdoados, já não há necessidade de oferecer mais sacrifícios" (Hb 10.18). Perdoar não é sofrer amnésia; é não deixar o veneno continuar fazendo efeito.

Se é difícil para o homem vencer essa barreira, para Deus não é. Marco Antonio de Araujo enfatiza a importância do fenômeno espiritual da justificação nesse processo: "Ao nos tornar justos, Cristo fez com que todos os nossos pecados fossem pagos por ele na cruz, inclusive a ofensa que sofri na igreja. Portanto, eu não posso cobrar essa dívida". E conclui, citando Romanos 8.33-34: "Afinal, como Paulo escreveu: 'Quem se atreve a acusar os escolhidos de Deus? Ninguém, pois o próprio Deus nos declara justos diante dele. Quem nos condenará, então?'".

Com isso, chegamos à nona verdade sobre os machucados sofridos na igreja:

> Seu perdão não depende de quem machucou você merecer ser perdoado, nem de você sentir vontade de perdoar e tampouco de esquecer a ofensa que lhe fizeram. Seu perdão depende da demonstração prática da graça e da misericórdia que há em seu coração, motivada pelo seu conhecimento racional acerca do que a Bíblia orienta sobre pecado e perdão e da sua intimidade com Deus.

15
Perdoar e ser perdoado

Quando estiverem orando, se tiverem alguma coisa contra alguém, perdoem-no, para que seu Pai no céu também perdoe seus pecados. Mas, se vocês se recusarem a perdoar, seu Pai no céu não perdoará seus pecados.

MARCOS 11.25-26

Talvez você se pergunte se não poderia simplesmente "deixar para lá" tudo o que aconteceu, isto é, tocar a vida sem perdoar a pessoa que o machucou e "tudo bem". Na verdade, não. Não está tudo bem. Por uma razão muito simples: além de dar as costas para o perdão ser a postura contrária à vontade de Deus, não perdoar quem machucou você fará o veneno do ressentimento continuar intoxicando a sua alma, com resultados catastróficos.

Vamos entender bem isso. Quando alguém machucou você na igreja, causou um ferimento profundo e doloroso. Alguém o difamou, traiu ou humilhou e, diante dessa injustiça, você reage não com sentimentos e atitudes apreciados por Deus, mas com amargura, ira, ódio, raiva, murmuração, maledicência e sede de vingança — exatamente o que Deus detesta. Ao reagir dessa maneira, sabe o que você fez? Mordeu a isca. Caiu na armadilha. E essa armadilha tem um dispositivo que injeta na corrente sanguínea da sua alma um veneno tóxico.

Quanto mais tempo você permanece dentro da arapuca, debatendo-se em rancor e mágoa, mais veneno o intoxica. E, com ele, mais dor e amargura. Depois de algum tempo, falta amor no seu coração e sobram sentimentos malignos. Como você é inteligente, por favor, responda: de quem você acha que está se aproximando mais ao nutrir sentimentos malignos? De Deus ou do maligno? A resposta é óbvia.

Vamos além. A Bíblia diz: "E, não pequem ao permitir que a ira os controle, acalmem a ira antes que o sol se ponha, pois ela cria *oportunidades* para o diabo" (Ef 4.26-27). Paulo escreveu esse texto originalmente em grego. A palavra que ele usou no original e que traduzimos por "oportunidades" é *topos*, que significa "território" e, dependendo do contexto, "território estratégico". O que Paulo quis dizer é que, quando ficamos constantemente irados, sem arrependimento, damos ao maligno acesso a territórios estratégicos de nossa vida.

Essa constatação torna evidente que não podemos simplesmente "deixar para lá" a ofensa. Hernandes Dias Lopes ratifica: "Não podemos ignorar o poder da mágoa nem achar que o silêncio ou o tempo, por si mesmos, possam trazer cura para esses relacionamentos estremecidos".[1]

Portanto, alimentar ira e guardar ressentimento sem fazer nada a respeito só lhe trará prejuízo. Assisti a um documentário sobre a história de uma jovem estuprada e assassinada pelo próprio cunhado. Uma terrível tragédia. Ao final do programa, a mãe dela, compreensivelmente devastada e arrasada emocionalmente, disse em seu depoimento que jamais perdoará o criminoso. "Eu odeio esse homem, não posso nem olhar para ele", desabafou. Fiquei triste ao ouvir isso, muito triste. Pois aquela senhora, vítima de tão terrível tragédia, não percebeu que a falta de perdão a fazia vítima de uma segunda tragédia: a do ódio. O assassino andou em trevas e cometeu um pecado brutal. E aquela pobre mãe acabou sendo arrastada para as trevas ao cultivar o ódio no coração.

Perdoar ou odiar? Temos diante de nós os dois caminhos. Aquela mãe fez sua escolha. Você e eu também temos de fazer a nossa. É duro demais pensar em perdoar quem nos causou males tão grandes. Mas... que alternativa temos? Se não o fazemos, nos distanciamos do Crucificado e nos tornamos como os crucificadores. Como filhos da luz, devemos andar nela, orar por quem nos fez mal, abençoar quem nos amaldiçoa, nadar na contramão de nossos próprios sentimentos.

Além disso, há um aspecto importante que você deve levar em conta no processo de perdão: a ofensa que lhe causaram não diz respeito tanto ao que lhe fizeram, mas a *como você recebeu o que fizeram*. O pastor Marco Antonio de Araujo explica: "Quando uma criança, um indivíduo embriagado ou uma pessoa com deficiência mental xinga você, aquilo não lhe causa um impacto tão grande quanto se a mesma ofensa fosse feita por um de seus pais, seu cônjuge ou seu pastor. Por quê? Porque a questão do mal tem muito mais a ver com o modo como o recebemos do que com o tipo de mal em si".

Segundo Marco Antonio, a maior demonstração dessa realidade está na oração de Cristo na cruz. "Embora a atitude dos executores de Jesus fosse um grande mal, eles na realidade ignoravam o mal maior", explica. "Por essa razão, embora Cristo estabelecesse um senso de justiça, sabendo que o errado é errado, ele tinha a capacidade de receber o impacto daquele mal com um coração perdoador."

Imitação de Cristo

Se alguém machucou você na igreja, há uma escolha a ser feita: perdoar ou não perdoar. Imitar Jesus ou não. O caminho bíblico é o do perdão, aquele que o tirará da armadilha e o livrará da injeção constante de veneno tóxico. É difícil, sim, mas é o caminho mais excelente, pois é o que cumpre a vontade de Deus.

O primeiro mártir da história do cristianismo, Estêvão, foi apedrejado até a morte por defender sua fé em Cristo. Observe a última frase que ele disse antes de morrer: "Enquanto atiravam as pedras, Estêvão orou: 'Senhor Jesus, recebe o meu espírito'. Então caiu de joelhos e gritou: *'Senhor, não os culpes por este pecado!'*. E, com isso, adormeceu" (At 7.59-60). O homem que foi vítima do ódio tinha, humanamente falando, tudo para odiar quem o matou. Mas, com seu último suspiro, o que ele estendeu a seus executores não foram palavras agressivas, xingamentos, acusações ou blasfêmias; foi perdão.

Esse é o caminho. Estêvão imitou Cristo, e nós devemos imitá-lo. Pois não perdoar provoca destruição, feridas que nunca cicatrizam e uma consequência espiritual séria: quem não perdoa os erros do próximo não é perdoado por Deus dos seus erros, como Jesus disse em pelo menos duas ocasiões: "Seu Pai celestial os perdoará se perdoarem aqueles que pecam contra vocês. Mas, se vocês se recusarem a perdoar os outros, seu Pai não perdoará seus pecados" (Mt 6.14-15; cf. Lc 6.37). Isso é grave, é muito grave! Você consegue perceber as consequências de não perdoar quem o machucou?

A falta de perdão também faz de nós pessoas solitárias. Quando somos feridos e nos conformamos em prosseguir assim, passamos a caminhar sozinhos. Nossa dor nos diz que somos únicos entre todos e que os outros não entenderiam nossa agonia. E essa solidão aumenta nosso sofrimento.

Mas ninguém é obrigado a viver nesse estado permanentemente. Imagine que a cidade onde você vive fica próxima a uma represa. O nível da água sobe de forma acelerada. A barragem ameaça ruir e deixar milhões de litros de água destruir a sua casa e a de seus vizinhos e tirar a vida de milhares de pessoas. Você, porém, está na sala de controle, segurando a alavanca que abre as comportas e permite que a água saia de forma controlada, sem prejudicar ninguém. Você tem a capacidade de salvar a cidade. Não é uma razão fantástica para ter alegria? O poder de evitar a tragédia está em suas mãos!

Percebe que só depende de você estender o perdão? Você pode fazer acontecer! A única pessoa capaz de represar o perdão e permitir que essa tragédia ocorra é você mesmo. A alavanca está em suas mãos! Basta uma atitude constante em sua vida de estender perdão aos que o ofenderam ou lhe fizeram mal. Deus lhe deu esse poder.

Ele diz: "Só depende de você". Perdoe e será perdoado. Não perdoe e não será perdoado. Aceita um conselho? Puxe a alavanca do perdão e abra as comportas do seu coração. Pois perdoar quem nos machucou, mesmo que ele não mereça e mesmo que não nos tenha pedido perdão, é replicar a atitude graciosa de Deus conosco:

> Mas Deus nos prova seu grande amor ao enviar Cristo para morrer por nós quando ainda éramos pecadores. E, uma vez que fomos declarados justos por seu sangue, certamente seremos salvos da ira de Deus por meio dele. Pois, se *quando ainda éramos inimigos de Deus nosso relacionamento com ele foi restaurado pela morte de seu Filho,* agora que já estamos reconciliados

certamente seremos salvos por sua vida. Agora, portanto, podemos nos alegrar em Deus, com quem fomos reconciliados por meio de nosso Senhor Jesus Cristo.

Romanos 5.8-11

A verdade é que todos fomos alcançados pela graça perdoadora de Deus quando menos merecíamos ser perdoados. Perdoar quem nos machucou na igreja é, portanto, imitar a atitude que Deus teve conosco. Todos pecamos. Todos éramos culpados. Nenhum de nós merecia o perdão divino. E, ainda assim, fomos perdoados.

A primeira pedra

Como vimos no capítulo 7, nós somos tão sujeitos ao pecado quanto a pessoa que nos machucou na igreja. A justiça contida no padrão divino de perdão reside neste fato: não existe razão para um pecador condenar outro pecador. Se existe uma casca de feijão do tamanho de um campo de futebol em seu dente, o que lhe dá o direito de ficar falando da alface no dente de seu irmão da igreja? Melhor seria ter espiado antes no espelho como está o seu sorriso.

A verdade é que ninguém tem superioridade para condenar quem quer que seja. A Bíblia afirma que não há nenhum justo: "Todos se desviaram, todos se tornaram inúteis. Ninguém faz o bem, nem um sequer" (Rm 3.12). Temos de reconhecer essa verdade: carregamos feijões nos dentes 24 horas por dia, sete dias por semana. O melhor dos homens é um pecador e carece do perdão de Deus.

Jesus deixou isso claro quando levaram até ele certa mulher que havia sido flagrada em adultério. Pela lei, a pena para essa atitude era clara: apedrejamento até a morte. A mulher tremia, caída no chão, apenas aguardando a primeira pancada. Em vez disso, o que bate com impacto avassalador em seu coração é uma frase simples: "Aquele de vocês que nunca pecou atire a primeira pedra" (Jo 8.7).

Não demorou muito para que só Jesus e a mulher permanecessem naquele lugar. A sós. A pecadora e o perdoador. O erro e o conserto. A humanidade e a divindade. Jesus se pôs de pé e perguntou a ela se ninguém a havia condenado. Era uma pergunta retórica, pois ele já sabia a resposta, mas creio que o Mestre queria que a mulher reafirmasse aquilo para ter a certeza bem gravada no coração.

"Não, Senhor", é a resposta. Então o Cordeiro de Deus, que veio tirar os pecados do mundo, dá o veredito: "Eu também não a condeno. Vá e não peque mais" (Jo 8.11). E é isso que ele diz todos os dias a respeito de cada um de nós e a cada um de nós a respeito de nosso próximo.

O pastor Guilherme de Carvalho me impressionou quando, certo dia, fez um belíssimo *mea culpa* pelas redes sociais. Numa atitude das mais raras, ele assumiu publicamente que, no passado, havia praticado abuso espiritual, antes de compreender plenamente o sentido da graça de Deus e o papel de um pastor. Por essa razão, decidi entrevistá-lo para este livro. Ele, generosamente, concordou em falar, e explicou, com exemplar reconhecimento: "Eu era líder de jovens, mas muito legalista. Cobrava responsabilidade, dava palpites indevidos na vida pessoal e às vezes falhava no amor cristão, agindo de forma controladora. A certa altura, tive clara compreensão disso e de que minha motivação era egoísta e farisaica".

Guilherme afirma que, hoje, sabe exatamente qual foi a raiz do seu erro. "Eu liderava dessa maneira para compensar uma autoestima baixa e para me sentir alguém", assume. "Por isso, quando uma pessoa não participava dos meus projetos e não dava o sangue pela 'obra', ela tornava-se objeto de meu desprezo ou desinteresse. Quando descobri que o grupo de jovens era o meu 'projeto pessoal' para compensar o sofrimento adolescente anterior, quando eu era o *loser* da escola, tive um baita choque. Deixei a liderança do grupo e passei por um bom tempo em crise. E, então, a graça de Deus me achou."

Quando pergunto que lição ele consegue extrair desse passado de autoritarismo, arrogância e abusos, Guilherme demonstra clareza: "Disso tudo ficou a lição importantíssima de que o obreiro cristão precisa ter na sua alma o consolo divino. Ele precisa ter um sábado na alma, ou fará dos membros da igreja seus escravos e de sua igreja um pequeno Egito. Esse sábado na alma liberta a nós mesmos e uns aos outros".

A esse respeito, Lisânias Moura, pastor da Igreja Batista do Morumbi, faz uma recomendação a líderes eclesiásticos que não desejam ser pivôs de feridas entre seus liderados: "É fundamental lembrar que controlar o rebanho é antibíblico. E, se o líder errar, é preciso saber que ser vulnerável e admitir erros não tira a autoridade pastoral".

Pergunto o que um líder deve fazer quando sabe que alguém do rebanho se sentiu ferido por ele. A resposta de Lisânias é simples e bíblica, embora sua recomendação muitas vezes seja ignorada por líderes eclesiásticos: "Vá procurar o ferido, ouça-o, admitia onde houve falha e peça perdão. Perdoar é decisão do ofendido, pedir perdão é tarefa do ofensor".

Nosso papel é restaurar e não condenar

Estamos tão acostumados a ver "videocassetadas" na televisão que passamos a considerar aquilo normal. Uma senhora se arrebenta de cara no chão e todos caem na gargalhada. O menino despenca do alto de uma árvore e a plateia acha muito engraçado. O rapaz cai da motocicleta e desliza por dezenas de metros no chão e é a coisa mais hilariante do mundo. Tragédias se tornaram piadas. A dor do próximo virou uma anedota. Se deixarmos nos contaminar com isso, também faremos parte do coro que ri da desgraça alheia. Mas não é esse nosso papel.

E qual é? Nosso papel nunca deve ser o de condenar, mas sim o de fazer o que estiver ao alcance para restaurar quem pecou. "Irmãos, se alguém for vencido por algum pecado, vocês que são guiados pelo Espírito devem, com mansidão, ajudá-lo a voltar ao caminho certo" (Gl 6.1).

A tentação de olhar para o pecador e querer que ele fique longe é grande. E se for contagioso? No mínimo, desejamos que ele passe um ano ajoelhado no milho. Isso é o que *nós* desejamos. Mas não é o que Deus deseja. O que ele quer é restauração, aperfeiçoamento, reedificação.

A boa, perfeita e agradável vontade divina é que "ninguém retribua o mal com o mal, mas procurem sempre fazer o bem uns aos outros e a todos" (1Ts 5.15). O que devemos fazer é seguir o exemplo do Senhor e manifestar o mesmo comportamento e sentimento dele. Deus não ri quando nos arrebentamos de cara no chão. Deus não ri quando despencamos do alto de uma árvore. Deus não ri quando caímos da motocicleta. O que temos de fazer é nada menos que seguir o exemplo de Deus no relacionamento com o próximo. Basta entender como o Senhor lida conosco e teremos a resposta a qualquer dúvida sobre como devemos tratar as outras pessoas.

Pense bem: toda vez que você se lembra dos episódios que geraram a sua ferida, um gosto de fel lhe sobe à boca.

Você relata aos outros a história e, a cada novo desabafo amargurado, o ferimento destila pus, em forma de adjetivos deselegantes e exclamações revoltadas. Não há sinal de cura à vista, pois você só enfia o dedo na chaga e ajuda a aumentá-la e infeccioná-la. Você pode optar por seguir pelo resto da sua vida fazendo isso, dizendo cobras e lagartos sobre a igreja, a instituição, o pastor, o irmão, os crentes, o que for. É um direito seu fazê-lo. Mas, já parou para pensar o que isso fará de você dentro de vinte anos? Uma criatura endurecida, miserável, tóxica, ressentida, rancorosa, cheia de olheiras espirituais e envergada sob o peso da própria mágoa. É o que você quer da sua vida?

A alternativa? O *perdão*. E, com ele, libertação, leveza, cura, paz. O que lhe parece melhor? "As pessoas colhem o que plantam: quem semeia violência, colhe violência; quem semeia traição, colhe abandono; quem semeia mentiras, colhe desconfiança", afirma a psicóloga Alda Fernandes. "Mas, quando pessoas são liberadas, por meio do perdão, para que Deus as alcance, elas podem se conscientizar, se arrepender e mudar. Quando pessoas mudam, o mundo muda."

E se eu vier a ser ferido, o que faço?

É importante considerarmos a possibilidade indesejada de você ser ferido na igreja em algum momento do futuro. Se, infelizmente, isso vier a acontecer, como você deve proceder, à luz da Bíblia?

Caso um líder, um pastor ou um irmão em Cristo fizer algo que machuque o seu coração, primeiro você deve ir até ele para uma conversa franca e regada a mansidão, a fim de buscar um entendimento mútuo e o estabelecimento da paz, eliminando toda mágoa do coração. Se houver reconhecimento do erro, arrependimento e pedidos de perdão, o problema acabará ali e os anjos festejarão. Vitória do amor.

Porém, se a pessoa não se retratar e persistir no erro, procure irmãos da igreja que tenham maturidade espiritual, conhecimento bíblico e espírito pacificador e manso e, junto com eles, volte a se aproximar de quem o feriu, na tentativa de estabelecer um diálogo que resolva o problema. Se ele ouvir os demais, problema resolvido.

Mas, se nem com a mediação dessas pessoas quem o feriu reconhecer seu erro, apresente o caso à igreja, na pessoa de quem é considerado autoridade no grupo, seja o indivíduo, seja o grupo de indivíduos que estão à frente da comunidade e são capazes de analisar a situação à luz da Palavra de Deus. Você deve procurar tais irmãos com espírito de mansidão, e não de escândalo, para que a autoridade das Escrituras possa intervir em favor da paz, do arrependimento, do perdão e da reconciliação.

No entanto, é possível que, mesmo assim, quem o feriu persista no erro, sem arrependimento. Se isso ocorrer, deve-se lidar com ele como se fosse alguém que não conhece o evangelho de Cristo. O que isso significa? Que devemos agir com ele como agimos com um não convertido. E como agimos com um não convertido? Primeiro, amando-o. Segundo, pregando a ele o evangelho de Jesus, com o desejo de que venha a se arrepender de seus maus caminhos e se converta a Cristo.

Você talvez se pergunte de onde tirei esse procedimento. A resposta está nas palavras de Jesus:

> Se um irmão pecar contra você, fale com ele em particular e chame-lhe a atenção para o erro. Se ele o ouvir, você terá recuperado

seu irmão. Mas, se ele não o ouvir, leve consigo um ou dois outros e fale com ele novamente, para que tudo que você disser seja confirmado por duas ou três testemunhas. Se ainda assim ele se recusar a ouvir, apresente o caso à igreja. Então, se ele não aceitar nem mesmo a decisão da igreja, trate-o como gentio ou como cobrador de impostos.

Mateus 18.15-17

Importante: isso não deve ser feito com uma postura belicosa e confrontadora, mas acatando a orientação bíblica: "Sejam sempre humildes e amáveis, tolerando pacientemente uns aos outros em amor" (Ef 4.2). Se agirmos de acordo com esse mandamento bíblico, estaremos cumprindo o que Paulo orientou em Efésios 4.3-4, isto é, fazendo todo o possível para nos mantermos unidos no Espírito, ligados pelo vínculo da paz, por saber que há um só corpo e um só Espírito.

Você pode pôr em prática essas atitudes que Jesus ensinou, ou não. Mas tenha a consciência de que, dependendo da atitude que adotar quando for machucado, isso mostrará se você está agindo conforme a vontade de Deus ou de acordo com a sua natureza humana inclinada ao erro: "Suponho que seja necessário haver divisões entre vocês para que se reconheçam os que são aprovados!" (1Co 11.19). Peço a Deus que, se você vier a passar no futuro por uma situação de feridas na igreja, seja reconhecido como alguém aprovado por Deus.

Hernandes Dias Lopes não poupa palavras quando diz que uma pessoa que nutre mágoa no coração não é feliz. Ele afirma que quem não perdoa adoece física, emocional e espiritualmente, enquanto o perdão traz cura completa para o corpo e felicidade plena para a alma. "O perdão esprime o pus da ferida, promove uma assepsia da mente e proclama a libertação das grossas correntes do ressentimento, constrói pontes no lugar em que a mágoa cavou abismos, passa o óleo terapêutico da cura onde o ódio abriu feridas e promove reconciliação onde a indiferença quebrou relacionamentos", assegura.[2]

Seja sincero: você fica feliz pelo fato de Deus perdoar os seus pecados? Se a sua resposta a isso é positiva, faça com seu ofensor o mesmo que Deus faz com você.

Perdoe.

E, com essa atitude, chegamos à décima verdade acerca da cura dos machucados sofridos na igreja:

> Para viver em paz com Deus, com o próximo e consigo mesmo, tudo o que você precisa fazer agora é decidir perdoar quem o machucou.

16
Perdão aconteceu

....

[...] e perdoa nossas dívidas, assim como perdoamos os nossos devedores.

Mateus 6.12

Comecei este livro com histórias de pessoas e desejo terminá-lo com histórias de pessoas. Porém, entre os relatos de gente magoada, ferida e abatida do início desta obra e os que você lerá agora, algo importante aconteceu: o *perdão total*. Se nos cinco primeiros capítulos tomamos conhecimento de uma série de situações em que pessoas foram machucadas na igreja ou pela igreja, neste capítulo desejo apresentar histórias de homens e mulheres que viveram o que este livro propõe após serem dolorosamente feridos no ambiente eclesiástico: eles *perdoaram aqueles que os machucaram*.

Como consequência da decisão de perdoar, esses irmãos e irmãs em Cristo foram curados do ressentimento que por um tempo lhes corroeu a alma, das mágoas que lhes encharcaram os olhos e das dores que alguém lhes impôs na comunidade de fé. E, por terem perdoado, conseguiram prosseguir, em paz, na jornada com Cristo. Guardam a lembrança do que aconteceu, recordam-se da dor, mas não sofrem mais os efeitos do veneno tóxico do ódio, da raiva e do rancor.

Meu objetivo ao terminar *Perdão total na Igreja* com esses relatos é que você tome conhecimento de casos reais, práticos e concretos que provam, primeiro, que por maior que tenha sido o machucado, a cura é possível. Segundo, que a cura invariavelmente vem pelo caminho estreito do perdão. E, terceiro, que o perdão faz os ferimentos se tornarem cicatrizes que não doem mais e permite que se siga pela vida com paz na alma e felicidade no coração.

Gostaria de começar com a história de Simone, por ser um caso impressionante do poder do perdão na restauração de vidas. Ouvir a história dessa jovem mulher tocou fundo meu coração, em especial porque ela faz parte do meu círculo de relacionamentos e eu nem desconfiava que Simone tinha uma trajetória tão sofrida. Quando ela soube que eu estava realizando a pesquisa para escrever este livro, procurou-me com o desejo de compartilhar sua história.

O pai de Simone era diretor de uma faculdade de teologia, pastor de uma grande igreja e capelão da prefeitura da cidade em que moravam. Às vésperas do Natal, Simone e sua mãe encontraram uma carta dele, na qual informava que tinha fugido com uma de suas alunas e com todo o dinheiro do caixa da faculdade. Em pouco tempo, sua mãe, que estava grávida e era professora da mesma instituição, foi despejada da casa pastoral e demitida do emprego. "As fofocas dentro da igreja se tornaram tão intensas que não tivemos condições de continuar a frequentá-la. Éramos lembranças de algo vergonhoso que havia acontecido naquela comunidade e não éramos bem-vindas. Os meses seguintes foram surreais", lembra Simone, que na época tinha 9 anos. À época, o sustento das duas veio pela caridade individual de irmãos em Cristo de bom coração.

Um ano depois, o pai de Simone voltou para a esposa e abandonou a aluna com quem estava vivendo, que, grávida, lamentavelmente acabou cometendo suicídio. Algum tempo depois, ele aceitou um convite para voltar a pastorear. "Quem olhava de fora via uma bela família, miraculosamente restaurada depois de uma situação de pecado e tragédia. Dentro de casa, porém, infidelidade conjugal, abuso sexual e pornografia eram presenças muito reais", recorda. Simone diz que a liderança da denominação tomou conhecimento da situação, mas pouco fez. "As tentativas de compartilhar sobre o abuso foram recebidas com incredulidade."

Os anos seguintes foram marcados por sucessivos abandonos e retornos da parte de seu pai, que prosseguia trabalhando em igrejas e instituições de ensino teológico, o que afetou muito Simone. "A liderança da igreja onde eu congregava passou a me ver com desconfiança e me supervisionava de perto, talvez para se certificar de que eu não havia herdado alguma tendência promíscua. A certa altura, eu e meu então namorado fomos injustamente acusados de imoralidade sexual e, depois de conversas muito dolorosas com a liderança, saímos da igreja."

Com o tempo, Simone se casou com o namorado e, logo depois, desenvolveu uma anorexia severa, que quase a matou. O apoio esperado da igreja não veio. "Recebi uma visita pastoral para dizer que eu devia frequentar os cultos, sendo que eu pesava trinta quilos e não tinha forças para me deslocar. Alguns membros da igreja também me repreenderam pelo modo como eu estava tratando o 'templo do Espírito'", diz. Em 2008, seu pai faleceu. Recentemente, em 2018, depois de muitos anos "desigrejados", Simone e o marido estão aos poucos se integrando a uma comunidade de fé.

Quando pergunto a Simone se ela se considera curada de tantas feridas causadas na igreja e pela igreja, ela responde afirmativamente e ressalta a importância do perdão nesse processo: "Não há cura verdadeira sem perdão. Tenho certeza de que perdoei meu pai e as demais pessoas que me feriram na igreja, e de que fui plenamente curada. Embora eu ainda fique triste quando relembro alguns acontecimentos, não há mais angústia nem rancor. Falar sobre algumas questões continua sendo difícil, mas não deixa mais um gosto amargo na boca". Simone tem bastante clareza da liberdade que só o perdão proporciona: "Estou descobrindo que minha identidade está em Cristo, e não no que aconteceu no passado. O perdão parece ter uma forma muito bonita de nos libertar para sermos quem Deus nos criou para ser. Não haveria como desfrutar tudo isso sem perdão e cura".

Tocado por seu relato, pergunto se Simone considera que tudo o que viveu contribuiu para sua caminhada de fé. Sua resposta transparece maturidade espiritual: "O maior presente que Deus me deu no meio das dificuldades foi *ele mesmo*. Ele consolou, *ele* fortaleceu, *ele* proveu generosamente os meios de cura e *ele* está produzindo uma colheita de coisas boas: um pouco mais de compaixão e empatia, o privilégio de ser instrumento de ânimo e consolo, a oportunidade de enxergar como ele tem trabalhado na vida de outros feridos. Também sou imensamente grata pelo modo como Deus tem enriquecido meu casamento com sua presença ao longo desse processo de cura e restauração". E conclui: "É graça que não acaba mais!".

O que aconteceu com Simone? *Perdão aconteceu.*

O povo da reconciliação

Histórias como a de Simone se multiplicam, com cheiros e cores diferentes. Paula é um exemplo. Dedicada e esforçada, rapidamente conquistou a confiança de seu pastor e, por essa razão, foi convidada a assumir a liderança do ministério feminino da congregação local. O que Paula não esperava é que a mulher que por anos havia ocupado o cargo antes dela deflagraria uma perseguição sistemática, apoiada pelo marido. Aquela irmã passou a colocar defeitos em tudo o que Paula fazia e a criticá-la pelas costas. A pressão foi tanta que Paula não suportou e entregou o cargo, carregando profundos machucados na alma.

Mas o suplício não acabou. Pouco tempo depois, a mulher começou a criar problemas com toda a família de Paula. A perseguição respingou em diversos parentes e seu marido chegou a perder o emprego por conta das articulações daquela senhora e do esposo dela. "Enquanto o problema era comigo eu aguentei, mas quando passou a atingir minha família foi demais. Cheguei ao limite", lembra Paula, que na época teve problemas de saúde em decorrência de seu estado emocional.

A cura veio a partir do momento em que leu um livro que falava sobre como compreender o sofrimento à luz da Bíblia.[1] Depois de passar por períodos de reflexão e oração, ela conseguiu encontrar a paz. "Eu liberei perdão para aquela mulher que tanto me prejudicou. Perdoei de coração mesmo, ela e o marido. Ao perdoá-la, aos pés do Senhor, minhas feridas foram curadas", alegra-se.

O que aconteceu com Paula? *Perdão aconteceu.*

O caso de Paula reflete uma realidade: apesar da natureza espiritual da comunidade cristã, precisamos ter sempre em mente que ela consiste em um agrupamento de seres humanos feridos que necessitam ser resgatados, redimidos e que caminham num constante processo de transformação e conversão de seu próprio coração ao coração de Deus. "Os conflitos relacionais serão frequentes e as dores serão inevitáveis, mas somos o povo da reconciliação e isso precisa ser praticado em nosso meio", lembra Karen Bomilcar.[2]

Quem praticou essa reconciliação por meio do perdão foi a paraense Zilda, cuja história relatei no capítulo 3. Machucada pelo mau exemplo de seus líderes, perseguida e difamada pela esposa do próprio pastor, conseguiu encontrar a paz e o alívio para sua alma por meio de uma atitude perdoadora. "Cristo vem me curando. Precisei liberar perdão e abrir mão do direito de sentir mágoa. Eu teria todo o direito de sentir rancor, mas, ao abrir mão desse direito, eu recebo tão mais! Uma nova perspectiva se abre, entende?"

Zilda conta que a cura partiu da percepção de que toda a amargura que sentia em decorrência das ofensas recebidas a estava sugando até os ossos e roubando a sua felicidade. "Falo desse assunto de peito aberto. A cicatriz marcou minha vida, mas Deus transformou o mal em bem. Sou plenamente feliz, pois aprendi o caminho das pedras: perdoar", alegra-se.

O que aconteceu com Zilda? *Perdão aconteceu.*

A postura de Zilda de deixar-se guiar pela razão e não pelos sentimentos é essencial para o perdão. A esse respeito, o escritor Brennan Manning enfatiza que a "compreensão mobiliza a compaixão, que nos possibilita perdoar".[3] Foram justamente os argumentos apresentados por um pastor mais velho, com base em verdades bíblicas bem racionais, que ajudou o pastor Silvestre a ser curado de feridas sofridas na igreja. Logo que ele assumiu o pastoreio de uma congregação no estado do Rio de Janeiro, começou a ter problemas com um presbítero, que agia como se fosse o dono da igreja. "Ele articulava pelas minhas costas e sabotava o meu trabalho pastoral", explica.

A situação foi se agravando cada vez mais, a ponto de o pastor Silvestre descobrir que o homem estava desviando dinheiro dos dízimos e das ofertas. Ao confrontar o presbítero, ganhou um inimigo. "Ele começou a manipular e confrontar os demais obreiros, utilizando armas como medo, pressão e oferta de favores", lembra. "Ele conseguiu até que a igreja reduzisse o meu salário."

Silvestre adoeceu e passou a ter uma série de doenças de fundo emocional. Em determinado momento, teve de escolher entre desmoronar física e emocionalmente ou sair da igreja local. Fez a segunda opção. "Quando a pessoa machucada na igreja é um pastor, as feridas são muito mais agudas do que em um membro leigo. Além disso, o processo de recuperação de um pastor é mais lento e exige mais atenção", afirma Idauro Campos. "Conheço pastores que nunca se recuperaram de seus machucados. Outros tantos perderam a paixão do início do ministério. E há ainda os que reassumiram mas ficam muito desconfiados quanto às ovelhas."

Osmar Ludovico concorda: "Pastores tendem a suportar situações constrangedoras e mesmo abusivas porque dependem do ministério para prover para si e sua família. Eles não têm qualquer outra qualificação para o mercado de trabalho, por isso suportam mais ferimentos. O que acaba sendo igualmente pesado para a família do pastor".

Felizmente, isso não aconteceu com o pastor Silvestre. Assim que deixou a igreja que liderava, com o apoio de sua família, assumiu o posto de pastor auxiliar em outra comunidade de fé, onde começou a ser tratado das emoções pelo pastor titular. Foi sua boia salva-vidas. "O primeiro conselho que recebi dele foi que perdoasse todos os que me feriram: o presbítero que protagonizou a situação, o conselho que não me foi leal, e os diáconos e os membros que se omitiram de se posicionar", lembra. O perdão veio depois que seu líder começou a expor uma série de argumentos bíblicos bem racionais. "Lembro-me de ele ter dito que nós machucamos Deus todos os dias com nossos pecados e, ainda assim, como suas misericórdias se renovam a cada manhã, ele sempre nos perdoa. O mesmo devemos nós fazer."

Silvestre perdoou todos e começou a orar pelo bem de cada um. Logo que o fez, já começou a se sentir melhor. Ele garante que hoje consegue falar sobre o assunto sem nenhum tipo de mágoa ou rancor. "Devemos insistir no perdão, sem cair na armadilha de pensar que todo líder, irmão ou igreja é igual aos que nos feriram. Se acreditarmos nessa mentira, nunca mais conseguiremos viver em paz com a Igreja de Cristo."

Quando pergunto que lição ele tira dessa experiência, Silvestre não titubeia e, sorrindo, diz: "Hoje, tendo perdoado, posso aconselhar pessoas machucadas na igreja ou pela igreja a não desistir dela. Assim como foi com Elias, elas podem passar um período no deserto, mas, depois, devem seguir em frente, sabendo que seu caminho será sobremodo longo".

O que aconteceu com o pastor Silvestre? *Perdão aconteceu.*

A história da Igreja nos conta um episódio da vida de um homem de Deus que foi machucado por irmãos em Cristo, mas que os perdoou e, com isso, encontrou a paz e prosseguiu com suas ações em prol do reino dos céus. Seu nome? Patrício. Se você nunca ouviu falar dele, saiba que Patrício foi o grande responsável pela transformação da Irlanda pagã do século 5º em uma nação cristã, ao se voluntariar para ser vendido como escravo e, assim, ter acesso ao povo irlandês, a quem incendiou com sua pregação do evangelho de Jesus.

O gesto de grandeza de Patrício em prol do reino de Deus, porém, não o livrou de sofrer feridas profundas. Quando tinha 15 anos, ele confessou certo pecado a um irmão em Cristo muito querido. Lamentavelmente, trinta anos depois, aquele antigo amigo decidiu revelar publicamente a falha de Patrício, quando este já era bispo. As pessoas que o invejavam ou que desejavam tomar o lugar dele na hierarquia eclesiástica usaram essa confissão contra ele, para sua grande tristeza.

Mesmo humilhado e decepcionado, Patrício registrou em suas memórias que perdoou o antigo amigo. Embora os líderes invejosos da igreja de então persistissem por anos no assunto, o perdoador Patrício amorosamente os deixou imersos em seus debates e rancores e voltou sua atenção para a evangelização da Irlanda. Sua história mostra que nem mesmo célebres homens e mulheres de Deus estão isentos de sofrer ferimentos na alma infligidos por outros cristãos.

O que aconteceu com Patrício? *Perdão aconteceu.*

Stephen Mansfield, pastor que foi curado de suas feridas por meio do perdão, resume o problema: "Cristianismo não é ausência de estupidez e mágoas. Cristianismo é a mensagem de um Deus que usa nossa estupidez e nossas mágoas para fazer de nós o que ele deseja que sejamos. Esta é a lição: cristãos podem ser perigosos. Somos membros de uma raça caída, que está sendo reconstruída por meio da graça de Jesus Cristo".[4] Mansfield é incisivo em sua reflexão, que deve levar todos nós a meditar em suas palavras, aplicando-as à nossa vida:

> Eu perdoei. Perdoei porque tinha receio de não perdoar. Perdoei porque eu odiava a pessoa que estava me tornando. Perdoei porque queria que meu Deus me perdoasse e sabia que até então eu havia tornado isso impossível. Perdoei [...] porque queria viver um plano mais elevado — não o plano que o maligno tinha traçado para mim, baseado em dor e ódio, mas o que havia sido

escolhido para mim, antes do princípio dos tempos, por um Deus amoroso. E eu sabia que o perdão era a chave.[5]

O que aconteceu com pastor Stephen? *Perdão aconteceu.*

Quem você perdoou não lhe deve mais nada

Uma das dúvidas mais frequentes sobre o perdão bíblico que chegam a mim pela Internet ou nos eventos em que faço preleções sobre o tema é: "Como posso saber que perdoei de verdade?". Para responder, preciso lembrá-lo do que é perdão: o cancelamento de uma dívida. Portanto, *se você acredita que ainda há um débito a ser pago pela pessoa que o machucou, isso revela que você ainda não a perdoou.*

Caso você creia que seu ofensor ainda precisa pagar pelo que lhe fez com moedas tais como um pedido de desculpas, o reconhecimento da brutalidade do ato que cometeu ou a reparação pública pela humilhação que você sofreu, isso demonstra que você ainda está aguardando o pagamento da dívida. Logo, não a cancelou. Portanto, não perdoou.

A pessoa ressentida vive com um senso de incompletude. Acorda todo dia achando que alguém que pecou contra ela ainda precisa fazer algo para compensá-la. E, como essa compensação nunca vem, a pessoa machucada viverá eternamente num estado de infelicidade e miséria, por carregar no peito um vazio que espera por preenchimento mediante uma compensação que jamais ocorrerá. A solução? Dispensar a necessidade de compensação. *Perdoar.*

Uma pessoa que se viu confrontada pela dúvida sobre se havia perdoado de fato ou não seus ofensores é Jaqueline. Casada com o filho de seu pastor, ela viu seu mundo desmoronar quando descobriu que o marido levava uma vida dupla havia anos, pois mantinha uma relação extraconjugal e era pai de dois meninos com a amante. Se a história em si já é grave e traumática, a dor piorou quando, junto com a descoberta, veio a constatação de que seu sogro e pastor sempre soube de tudo, por mais de vinte anos, porém nunca fez nada a respeito. "A mágoa maior veio por quem meu pastor era, uma pessoa importante na minha vida familiar e espiritual. Foi um duplo sofrimento, como nora e como ovelha", explica.

O casamento desmoronou e Jaqueline se divorciou. Ela mudou de igreja local e de denominação. Com o tempo, foi sendo tratada pelo novo pastor, em um processo gradativo. "Eu vivia me lembrando de tudo aquilo e chorava copiosamente", relata. Jaqueline seguiu com a vida e, certo dia, ouviu um sermão sobre perdão, o que a fez se perguntar se havia perdoado ou não seu ex-pastor. Decidiu, então, telefonar para ele. "Nós conversamos e eu lhe disse que o perdoava, que ele não tinha mais nenhuma dívida comigo. Terminei com a frase: 'O que passou, passou'." Aquele telefonema sacramentou o perdão.

Quando pergunto a Jaqueline o que mudou após ela ter estendido perdão ao ex-sogro, a resposta vem sem hesitação: "Após o perdão, eu parei de sofrer. É claro que não me esqueço de tudo o que houve, mas aquela dor constante morreu. Com isso, fechou-se aquele capítulo da minha jornada e minha vida seguiu".

O que aconteceu com Jaqueline? *Perdão aconteceu.*

Nelson Bomilcar admite que já machucou e já foi machucado na igreja. Depois de passar quase quinze anos à frente de uma comunidade de fé, decidiu desligar-se dela por divergências de opinião acerca de uma série de questões. Ele explica que o que o machucou foi o silêncio das pessoas com quem por anos convivera. "Saí de lá com uma mão na frente e a outra atrás e fui ignorado pelas pessoas. Isso doeu", lembra.

Quando pergunto a que Nelson atribui não ter se tornado uma pessoa ressentida com a igreja, ele responde que foi o fato de ter caminhado junto com amigos que o orientaram corretamente. "As pessoas com quem você convive nesse processo são absolutamente fundamentais para definir se você se tornará alguém rancoroso e amargo ou perdoador e curado."

Nelson acredita que, se você começa a frequentar, pessoal ou virtualmente, círculos de pessoas magoadas e rancorosas com a igreja, a tendência é se tornar uma delas, desenvolvendo uma crítica cega à igreja, que retroalimentará o amargor das demais. Porém, se você é acompanhado por amigos que entendem que o caminho do evangelho é o do perdão, da compaixão e da graça, conseguirá ser positivamente influenciado e, assim, ser curado e restaurado, deixando para trás a dor das feridas e prosseguindo na jornada de olho no futuro e não atolado no passado.

O que aconteceu com Nelson? *Perdão aconteceu.*

Outra pessoa que já se viu obrigada a lidar com diversas feridas é o músico e pastor Gerson Borges, que atribui à ingratidão a causa de seus machucados. "Pessoas de quem cuidei e que amei foram para outra igreja depois que ficaram bem. Essa indiferença, falta de consideração e frieza me feriram muito."

Hoje, Gerson afirma que baixou as expectativas e deixou de idealizar respostas ao seu amor, uma prova de amadurecimento espiritual. "Eu achava, tola e pecaminosamente, que podia 'resolver' o problema das pessoas. Mas descobri que pastor não resolve, se envolve." Quando pergunto qual foi o papel do perdão nessa cura dos machucados que sofreu, Gerson é direto: "Não há cura emocional sem perdão. O perdão não é opcional, pois ou perdoamos ou adoecemos".

O que aconteceu com Gerson? *Perdão aconteceu.*

Guilherme de Carvalho também colheu os frutos amargos das mágoas sofridas no ambiente eclesiástico. Ele relata que foi ferido na igreja em que congregou anos atrás por pessoas em situação de maior poder. "Eu notava havia muitos anos que usavam o poder de forma frequentemente manipulativa, fazendo realmente mal a alguns irmãos. Em certo episódio, ocorreram 'dois pesos, duas medidas' e abuso de autoridade. Antes de a coisa vir a público, eu me pronunciei sobre a injustiça e todos os seus futuros efeitos funestos e fui obrigado a me calar. Quando a coisa explodiu, um irmão em Cristo que se opôs ao abuso ia ser 'fritado' e o defendi publicamente. Isso causou comoção e fui visto como traidor."

Guilherme relata que um grande grupo de irmãos deixou a igreja na ocasião, mas ele, não. Numa assembleia geral, seu caso foi exposto e ele optou por permanecer em silêncio. "Tive a nítida sensação de que estava numa espécie de matadouro", conta. "Sofri a injustiça e somente depois disso deixei a igreja, em silêncio." Ele afirma que essas experiências o fizeram aprender que, se por um lado, situações como essas jamais deveriam acontecer na igreja, por outro, "são oportunidades de parecer como o homem que lavou os pés do seu traidor".

Guilherme garante que perdoou tudo pelo que passou. "A principal razão por que precisamos parar de pedir justiça e pedir a glorificação é que, enquanto estamos empacados na justiça, não chegamos à glorificação. Mas tenho certeza de que, se chegar à glorificação, terei também a justiça. Fico tentando explicar isso a irmãos machucados, mas é difícil. Melhor é dar o exemplo mesmo."

Hoje, ele vê os frutos do perdão em todos os que foram feridos pelo que ocorreu em sua antiga congregação. "Alguns dos irmãos que deixaram aquela igreja o fizeram porque eu os orientei a não entrar num processo de conflito justiceiro, pois isso iria destruí-los. Posteriormente, alguns deles se uniram a mim e plantamos a Igreja Esperança, que se tornou uma igreja saudável. Hoje, eles perdoaram a liderança da antiga igreja e dão graças a Deus por não terem entrado num conflito fratricida."

O que aconteceu com Guilherme e os demais irmãos da sua igreja? *Perdão aconteceu.*

Perdão gera resiliência

Sofredor calejado, Ziel Machado conhece essa realidade de perto. Das muitas histórias de feridas que sofreu no ambiente da fé, ele relata duas, que impressionam. A primeira, quando foi submetido a dez anos consecutivos de uma campanha de calúnia e difamação por parte de um obreiro, que se negava a aceitá-lo como líder. Ziel só conseguiu suportar esse tempo todo de sofrimento porque, além de seguir certos critérios à risca, procurou permanecer íntegro diante de Deus e, claro, perdoou seu perseguidor.

Se por um lado foi um problema gigantesco aturar o ímpeto difamador do obreiro, por outro Ziel reconhece que a situação lhe deu muita resiliência, o que foi útil em episódios ocorridos depois. "Anos após esse fato, fui expulso de um país em que atuava porque um homem que estava desviando dinheiro da organização a que eu pertencia fez toda uma articulação para me caluniar. E conseguiu. Muitas pessoas acreditaram nas mentiras desse senhor e desferiram ataques duros contra mim", lembra.

Cinco anos depois da expulsão, a verdade veio às claras, quando o novo líder da instituição descobriu as mentiras. Ainda assim, nenhuma das pessoas que acreditaram no caluniador estendeu a Ziel um pedido de desculpas sequer.

Quando lhe pergunto como ele conseguiu suportar algo tão grave e por tanto tempo, Ziel lança tudo na conta do perdão: "Todas as minhas cicatrizes são memoriais que me ensinam algo. Mas elas não me aprisionam, pois cada uma delas está submetida à dinâmica do perdão".

O que aconteceu com Ziel? *Perdão aconteceu.*

Lisânias Moura relata ter se sentido traído por uma pessoa em cujo ministério investiu bastante. "Coloquei minha mão no fogo por essa pessoa, inclusive correndo riscos, porque confiei nela e a queria ver crescer no ministério. Mas ela me enganou, mentiu para mim e deixou o ministério da nossa igreja inventando mentiras a meu respeito", lamenta.

Para Lisânias, a luta para perdoar era diária. Até que, certo dia, ele ouviu boas notícias a respeito dessa pessoa e se deu conta de que havia ficado alegre por ela. "Liguei para ela e a parabenizei. Naquele dia entendi que Deus havia me curado, fruto do poder dele em minha vida."

O que aconteceu com Lisânias? *Perdão aconteceu.*

Alda Fernandes também carrega a sua cota de cicatrizes resultantes de ferimentos causados por irmãos e irmãs em Cristo. Ela afirma ter sido magoada muitas vezes. Quando peço que relate um episódio significativo, Alda conta: "Fui ferida por uma pessoa muito especial e fiquei com ódio dela.

Isso não me preocupava, pois era uma mera questão de causa e efeito: ela me machucou, logo, eu fiquei com raiva. Comecei a me preocupar quando a ira deu lugar à indiferença. Essa pessoa passou a não existir para mim, era como um poste, uma pedra, um saco plástico... a ponto de passar por ela sem nem a perceber".

Certo dia, durante um momento de oração a Deus, Alda teve uma experiência de intimidade com o Senhor e percebeu, enfim, a gravidade de sua postura. "Fiquei muito assustada, pois me dei conta de que havia reduzido um ser humano a coisa nenhuma." A percepção teve desdobramentos imediatos. "Naquele dia, pedi a Deus que me ajudasse a ver aquela pessoa como eu via a mim mesma: um ser humano capaz de amar e, também, de errar, e disse-lhe que eu gostaria de liberar essa pessoa para ser abençoada e amada por ele, assim como o Senhor faz comigo."

Alda explica que, naquele momento, caiu a ficha: Deus desejava que ela entendesse o mecanismo do perdão. "Depois disso, tive muita paz. Obviamente, se eu ficar relembrando os fatos, sentirei tristeza, porém o ocorrido não pode mais me machucar. Essa pessoa nasceu de novo no meu coração. Não seremos amigos, nem faremos coisas juntos, mas consigo olhá-la e ver um ser humano como eu."

O que aconteceu com Alda? *Perdão aconteceu*.

Neste ponto, gostaria de voltar ao relato sobre o desentendimento que o apóstolo Paulo e Barnabé tiveram acerca de João Marcos, que relatei no capítulo 9, lembra-se? Paulo não queria papo com Marcos, pois o rapaz havia se separado deles na primeira viagem missionária e desistido de prosseguir no trabalho de evangelização. O desentendimento entre Paulo e Barnabé foi tão grave que os dois se separaram

(At 15.39-40). Racha na igreja. Bate-bocas. Animosidade. O pecado venceu o amor. Bem... será?

Anos depois, ao escrever sua carta aos Colossenses, Paulo recomendou: "Conforme vocês foram instruídos, se Marcos passar por aí, recebam-no bem" (Cl 4.10). Que estranho. Como assim? Marcos? Sim, Marcos, o desertor, o pivô da divisão. Se antes Paulo não queria saber daquele traidor que o abandonara na primeira viagem missionária, agora recomendava seu bem-estar. Extraordinário. Mas a história não acabou aí.

Já no fim da vida, ao escrever a última de suas cartas, Paulo pediu ao amigo Timóteo: "Traga Marcos com você, pois ele me será útil no ministério" (2Tm 4.11). *Uau!* Você consegue perceber o que isso significa? Esse pedido de Paulo revela o triunfo da graça e do perdão. Fica evidente que, entre o episódio de Atos e as cartas aos Colossenses e a Timóteo, algo ocorreu: *perdão*. E, com ele, reconciliação. Cura. E paz. A amargura e a animosidade que ameaçaram dividir a igreja naqueles primeiros dias foram, com o tempo, curadas pela atitude misericordiosa e graciosa de homens que optaram por perdoar. E, juntos, eles mudaram o mundo.

O que aconteceu com Paulo? *Perdão aconteceu.*

Como disse no início deste livro, eu também tive minha cota de machucados no ambiente eclesiástico, o que me levou a magoar pessoas — pois pessoas feridas têm a tendência de ferir pessoas. Conheço os dois lados da moeda, uma vez que já fui vítima e algoz. Mas, mediante o perdão, estou curado do ressentimento e, mediante o arrependimento, estou curado da culpa. Sim, eu mesmo sou prova do poder libertador do perdão.

Hoje, consigo olhar para as pessoas envolvidas nas situações que me machucaram sem mágoa ou rancor no coração e sou capaz de apertar sua mão sem nenhum ressentimento. Desejo a todas o melhor, que sejam felizes, abençoadas e prosperem em sua contribuição para o reino de Deus. Na realidade, estabeleci como propósito pessoal orar regularmente pelo bem de cada uma. O perdão que lhes estendi independe do que fazem, pois é fruto de uma ação da graça e não de uma reação ao mérito. Nenhuma delas me deve absolutamente nada.

Graças a Deus — literalmente —, encontrei nas Escrituras o caminho para ser sarado, o que me deu leveza à alma e paz ao coração. E, ouso acreditar, com mais maturidade espiritual que antes. Meu desejo ao escrever *Perdão total na Igreja* foi compartilhar com você, que enfrenta o que enfrentei, o entendimento bíblico que, passo a passo, me conduziu à cura. Portanto, o livro que você tem em mãos não se baseia apenas em teoria: tudo o que apresentei aqui eu vivi na pele. Como a Palavra de Deus é viva e eficaz, os ferimentos sararam e, hoje, ostento somente indolores cicatrizes memoriais, que me fortalecem a cada passo pedregoso da jornada com Cristo.

O que aconteceu comigo? *Perdão aconteceu.*

Gostaria de enfatizar que em nenhum momento deixei de congregar em uma igreja local, pois entendi que isso não resolveria o problema e apenas criaria outros. E, embora muitos de meus irmãos e irmãs que foram machucados na igreja por seus líderes tenham repulsa a pastores ordenados, no meu caso preciso reconhecer que três deles foram especialmente importantes para a minha restauração após as feridas, por meio de acolhimento, orientações, afeto e conselhos: um presbiteriano, um assembleiano e o pastor da igreja em que congrego. Sim, os três fazem parte de igrejas institucionais, associadas a denominações, mas que foram solidários, amorosos, piedosos, restauradores, amigos e presentes. Como rejeitá-los? Como negar a inquestionável vocação pastoral na vida de cada um deles?

Fato é que meus machucados não me fizeram rejeitar a igreja, mas, sim, *amadurecer em meu relacionamento com ela*. Com isso, optei por não abandonar o barco, mas permanecer, buscar o caminho da cura e, uma vez sarado em minhas emoções, contribuir das maneiras que me fossem possíveis no intuito de ser um instrumento nas mãos de Deus para a sua glória e para a edificação de meus irmãos e irmãs em Cristo.

Este livro faz parte dessa contribuição.

• • •

O protagonista de cada uma das histórias que lemos neste capítulo tem algo em comum: foi machucado por alguém da comunidade eclesiástica e viu-se, então, diante de uma escolha: prosseguir pelo resto da vida intoxicado pelo veneno da mágoa, da ira e do ressentimento ou livrar-se dele mediante o perdão.

Todos escolheram o único caminho bíblico: eles *optaram por perdoar*.

Sim, o perdão é uma *opção*. E você tem, neste momento, a mesma opção diante de si: perdão ou rancor. Amor ou ódio. Liberdade ou infelicidade. Vida ou morte. Ressurreição ou sepultura. Deus ou pecado. O que você escolhe?

Caso opte pela escolha que o evangelho da reconciliação, do amor e da paz nos incentiva a fazer, poderá escrever ao fim da sua história: *Perdão aconteceu*.

Se bem que, pensando melhor... sabe o que realmente aconteceu com todas as pessoas mencionadas neste capítulo?

Jesus aconteceu.

Ore comigo

Gostaria de incentivar você a dar o grande passo rumo à paz e à liberdade, perdoando quem lhe fez mal. Por isso, proponho que faça uma oração. Recomendo que você releia cada uma das dez verdades que destaquei ao fim dos capítulos 6 a 15, medite sobre elas e, se desejar, ore comigo segundo as palavras a seguir. Então, caso se sinta motivado a isso, prossiga em uma oração espontânea, pessoal e direcionada ao que você viveu.

Pai amado, fui profundamente machucado na igreja e desejo ser curado. Entendo que o grande culpado pela minha dor não foi quem me machucou, mas o pecado que há em seu coração, essa força maligna que habita em todos nós e muitas vezes nos leva a fazer o que não queremos. Assim como quem me machucou, eu também peco diariamente e sei que careço de tua graça, tua misericórdia e teu perdão. Ajuda-me em minha fraqueza, para que eu consiga estender a essa pessoa a mesma graça perdoadora que tu me estendes sem que eu mereça.

Muda a minha forma de enxergar a igreja. Que eu não crie expectativas irreais, esperando das pessoas uma perfeição que elas jamais conseguirão ter, mas que eu veja meus irmãos e irmãs como seres tão falíveis como eu. Quero ser bênção entre teu povo, sem me pôr numa posição de superioridade moral ou espiritual, mas compreendendo que posso agir com misericórdia e amor, a fim de edificar o teu corpo.

Entendo que não fui uma vítima isolada, e sei que tua santa Igreja é formada desde o princípio por gente cheia de imperfeições, que machuca, mas, apesar disso, precisa ser suportada e tratada com bondade, paciência, compaixão e amor, e não com amargura, raiva, ira, palavras ásperas e de calúnia e todo tipo de maldade. Não é fácil, Pai, por isso peço que me ajudes a substituir os maus sentimentos e pensamentos decorrentes da ferida que sofri por sentimentos e pensamentos como os de Cristo, que estendeu clemência e perdão àqueles que lhe fizeram mal.

Ajuda-me, também, a buscar as soluções verdadeiras e a rejeitar as que, na verdade, não resolvem nada. Que eu busque a cura e a paz não mediante a atribuição de culpa a modelos de reunião ou mesmo à tua santa Igreja, mas em ações corretas que combatam o grande culpado: o pecado que habita no coração de todos nós, seja dos que congregam em igrejas institucionais, seja dos que se reúnem em grupos adenominacionais e domésticos, seja de quem procura viver a espiritualidade sozinho, em casa. Substitui a raiva e o rancor que desenvolvi contra instituições e modelos por um desejo de combater o pecado e tão somente o pecado — usando a arma correta: o perdão.

Pai, oro pelo bem de quem me machucou. Peço que abençoes essa pessoa em todas as áreas de sua vida. Exerce tua misericórdia e derrama teu amor sobre ela. Não é fácil pedir isso, mas é o que peço. Aquela pessoa que me feriu tão profundamente não merece ser perdoada, eu sei, e também não sinto vontade de perdoá-la. A lembrança daquela ofensa não desapareceu de minha mente, mas, apesar disso, quero exercer graça e misericórdia sobre aquela vida, pois sei que é o que tu esperas de mim. Peço que apagues da tua memória todo o mal que foi cometido contra mim e que não exerças juízo sobre aquela pessoa, nem agora, nem no futuro.

Eu a perdoo porque ela não sabe o que faz.

Perdoo porque também erro muito e sou diariamente necessitado de perdão.

Perdoo porque quero substituir o veneno da amargura, da raiva, da ira e da maldade que intoxicam minha alma pelo bálsamo curativo do amor e da bondade.

Perdoo porque quero me ver livre de todo ressentimento e rancor.

Perdoo porque quero fazer o que teu Filho, Jesus, faria.

Perdoo porque é a única maneira de viver dentro da tua vontade.

Perdoo porque quero obedecer-lhe.

Perdoo porque quero ouvir de ti, naquele grande dia: "Muito bem, meu servo bom e fiel".

Por isso, Pai, eu escolho perdoar. E, neste exato momento, eu perdoo quem me machucou na igreja. Toda dívida que aquela pessoa tinha comigo está cancelada.

Em nome de Jesus eu oro. Amém.

Notas

Uma palavra inicial

[1] Wolfgang SIMSON, *Casas que transformam o mundo*, p. 29.

[2] Marcos QUARESMA, "Suicídio de pastores e líderes: uma reflexão necessária", disponível em: <http://sepal.org.br/blog-sepal/suicidio-de-pastores-e-lideres-uma-reflexao-necessaria/>. Ver ainda: <https://pleno.news/comportamento/suicidio-de-pastores-epidemia-silenciosa.html> e <https://noticias.gospelprime.com.br/por-que-os-pastores-estao-cometendo-suicidio/>. Acessos em: 6 de dez. de 2018.

[3] Idauro CAMPOS, *Desigrejados*, p. 32.

[4] Nelson BOMILCAR, *Os sem-igreja*, p. 25.

[5] "Censo demográfico 2010: Características gerais da população, religião e pessoas com deficiência" (Rio de Janeiro: IBGE, 2010), p. 92, disponível em: <https://biblioteca.ibge.gov.br/visualizacao/periodicos/94/cd_2010_religiao_deficiencia.pdf>. Acesso em: 3 de dez. de 2018.

[6] Stephen MANSFIELD, *Healing Your Church Hurt*, p. 8.

[7] Idem, p. 9.

[8] Miroslav VOLF, *O fim da memória*, p. 41.

[9] Kevin DEYOUNG e Ted KLUCK, *Por que amamos a igreja*, p. 89.

[10] D. Martyn LLOYD-JONES, *Pregação e pregadores*, p. 10.

[11] Brennan MANNING e Jim HANCOCK, *Falsos, metidos e impostores*, p. 35.

Capítulo 1

[1] Augustus Nicodemus LOPES, *Polêmicas na igreja*, p. 35.

[2] Martinho LUTERO, *Da liberdade do cristão*, p. 45.

[3] Alderi Souza de MATOS, "O sacerdócio universal dos crentes", disponível em: <reforma500.ipb.org.br/2017/05/23/o-sacerdocio-universal-dos-crentes>. Acesso em: 3 de dez. de 2018.
[4] João CALVINO, *As Institutas*, vol. 3, p. 230.
[5] C. S. LEWIS, *Cristianismo puro e simples*, p. 45.
[6] Nelson BOMILCAR, *Os sem-igreja*, p. 63.
[7] Rivanildo GUEDES, *Precisamos falar sobre pecado*, p. 17.
[8] João CALVINO, *As Institutas*, vol. 3, p. 308.

Capítulo 2

[1] Russell SHEDD, "Precisamos de uma reforma", in: *Uma nova reforma*, p. 185.
[2] Nelson BOMILCAR, *Os sem-igreja*, p. 60.
[3] Idem, p. 64.
[4] Paulo ROMEIRO, *Decepcionados com a graça*, p. 158.
[5] Ver "Abuso espiritual: Quando o perigo está no púlpito da igreja", *Comunhão*, 25 de mar. de 2016, disponível em: <http://comunhao.com.br/abuso-espiritualquando-o-perigo-esta-no-pulpito-da-igreja/>. Acesso em: 3 de dez. de 2018.

Capítulo 3

[1] Ver "Statistics on Pastors: 2016 Update", Francis A. Schaeffer Institute of Church Leadership Development. Disponível em: <http://files.stablerack.com/webfiles/71795/pastorsstatWP2016.pdf>. Acesso em: 6 de dez. de 2018.
[2] In: Brennan MANNING, *O evangelho maltrapilho*, p. 71.

Capítulo 4

[1] Paulo ROMEIRO, *Decepcionados com a graça*, p. 18.
[2] Marília de Camargo CÉSAR, *Feridos em nome de Deus*, p. 81-87.

Capítulo 5

[1] Nelson BOMILCAR, *Os sem-igreja*, p. 61-62.
[2] Lisânias MOURA, *Cristão homoafetivo?*, p. 191.

Capítulo 6

[1] Kevin DeYoung e Ted Kluck, *Por que amamos a igreja*, p. 226.
[2] Rivanildo Guedes, *Precisamos falar sobre pecado*, p. 26.
[3] Karen Bomilcar, "Entre dores e amores: comunhão na comunidade", *Ultimato*, 27 de jul. de 2017, disponível em: <http://www.ultimato.com.br/conteudo/entre-dores-e-amores-comunhao-na-comunidade>. Acesso em: 3 de dez. de 2018.
[4] João Calvino, *Efésios*, vol. 1, p. 169.

Capítulo 7

[1] Kevin DeYoung e Ted Kluck, *Por que amamos a igreja*, p. 229.
[2] Brennan Manning, *O evangelho maltrapilho*, p. 128.
[3] Philip Yancey, *Alma sobrevivente*, p. 315-316.

Capítulo 8

[1] Philip Yancey, *Alma sobrevivente*, p. 310-311.
[2] Paulo Romeiro, *Decepcionados com a graça*, p. 13.
[3] Kevin DeYoung e Ted Kluck, *Por que amamos a igreja*, p. 220.
[4] Philip Yancey, *Alma sobrevivente*, 2004, p. 11.

Capítulo 9

[1] John Stott, *A Mensagem de Atos*, p. 10.
[2] Brennan Manning, *O evangelho maltrapilho*, p. 30.
[3] Augustus Nicodemus Lopes, *A supremacia e a suficiência de Cristo*, p. 15.
[4] Nelson Bomilcar, *Os sem-igreja*, p. 31.
[5] Ver Philip Schaff, *History of the Christian Church*.
[6] William Henry Fitchett, *Wesley e seu século*, p. 30.
[7] William Havlicek, *Van Gogh's Untold Journey*.
[8] Ricardo Barbosa, "Igreja: sacramento e identidade", *Ultimato*, ed. 367, 2017, p. 30.

Capítulo 10

[1] Maurício ZÁGARI, "Decepcionados com a Igreja", *Cristianismo hoje*, 2010, disponível em: <http://pulpitocristao.com/2010/11/decepcionados-com-igreja.html>. Acesso em: 3 de dez. de 2018.
[2] Stephen MANSFIELD, *Healing Your Church Hurt*, p. 15.
[3] Idem, p. 18.
[4] Miroslav VOLF, *O fim da memória*, p. 19-20.

Capítulo 11

[1] Nelson BOMILCAR, *Os sem-igreja*, p. 25.
[2] Ver Augustus Nicodemus LOPES, "Os desigrejados", disponível em: <http://tempora-mores.blogspot.com.br/2010/04/os-desigrejados.html>. Acesso em: 3 de dez. de 2018.
[3] C. S. Lewis, *Peso de glória*, p. 37.
[4] Idauro CAMPOS. *Desigrejados*, p. 229.
[5] Nelson BOMILCAR, *Os sem-igreja*, p. 20.
[6] Karen BOMILCAR, "Entre dores e amores: comunhão na comunidade", *Ultimato*, 27 de jul. de 2017, disponível em: <http://www.ultimato.com.br/conteudo/entre-dores-e-amores-comunhao-na-comunidade>. Acesso em: 3 de dez. de 2018.
[7] Ricardo BARBOSA, "Igreja: sacramento e identidade", *Ultimato*, ed. 367, 2017, p. 30.
[8] Kevin DeYOUNG e Ted KLUCK. *Por que amamos a igreja*, p. 212.
[9] In: David MATHIS, "Acenda a chama na adoração congregacional", *Cante as Escrituras*, ago. de 2016, disponível em: <http://canteasecrituras.com.br/2016/08/acenda-a-chama-na-adoracao-congregacional/>. Acesso em: 3 de dez. de 2018.
[10] Ver Augustus Nicodemus LOPES, "Os desigrejados", disponível em: <http://tempora-mores.blogspot.com.br/2010/04/os-desigrejados.html>. Acesso em: 3 de dez. de 20178.
[11] Stephen MANSFIELD, *Healing Your Church Hurt*, p. 30.
[12] Brennan MANNING e Jim HANCOCK, *Falsos, metidos e impostores*, p. 59.
[13] Stephen MANSFIELD, *Healing Your Church Hurt*, p. 25.
[14] Kevin DeYOUNG e Ted KLUCK, *Por que amamos a igreja*, p. 232-233.

Capítulo 12

[1] In: Marília de Camargo CÉSAR, *Feridos em nome de Deus*, p. 146.
[2] Miroslav VOLF, *O fim da memória*, p. 21.
[3] Hernandes Dias LOPES, "Perdão, a cura para os relacionamentos feridos", disponível em: <http://hernandesdiaslopes.com.br/portal/perdao-a-cura-para-os-relacionamentos-feridos/>. Acesso em: 3 de dez. de 2018.
[4] Miroslav VOLF, *O fim da memória*, p. 28-29.

Capítulo 13

[1] Osmar LUDOVICO, *Inspiratio*, p. 164.
[2] João CALVINO, *As Institutas*, vol. 3, p. 160.

Capítulo 14

[1] Brennan MANNING e Jim HANCOCK, *Falsos, metidos e impostores*, p. 80-81.
[2] Henri NOUWEN, et. al., *Direção espiritual*, p. 155.
[3] Miroslav VOLF, *O fim da memória*, p. 123.
[4] Stephen MANSFIELD, *Healing Your Church Hurt*, p. 54-55.
[5] Miroslav VOLF, *O fim da memória*, p. 75.
[6] Hernandes Dias LOPES, "Construa pontes em vez de cavar abismos", disponível em: <http://hernandesdiaslopes.com.br/portal/construa-pontes-em-vez-de-cavar-abismos-2/>. Acesso em: 3 de dez. de 2018.
[7] Idem.
[8] In: Marília de Camargo CÉSAR, *Feridos em nome de Deus*, p. 13.

Capítulo 15

[1] Hernandes Dias LOPES, "Construa pontes em vez de cavar abismos", disponível em: <http://hernandesdiaslopes.com.br/portal/construa-pontes-em-vez-de-cavar-abismos-2/>. Acesso em: 3 de dez. de 2018.
[2] Idem.

Capítulo 16

[1] O livro que Paula relatou ter lido e que trouxe paz a sua alma foi *O fim do sofrimento*, de minha autoria.

[2] Karen BOMILCAR, "Entre dores e amores: comunhão na comunidade", *Ultimato*, 27 de jul. de 2017, disponível em: <http://www.ultimato.com.br/conteudo/entre-dores-e-amores-comunhao-na-comunidade>. Acesso em: 3 de dez. de 2018.
[3] Brennan MANNING e Jim HANCOCK, *Falsos, metidos e impostores*, p. 82.
[4] Stephen MANSFIELD, *Healing Your Church Hurt*, p. 53.
[5] Idem, p. 57.

Referências bibliográficas

AGRESTE, Ricardo. *Igreja? Tô fora*. São Paulo: Socep, 2009.

AZEVEDO, Israel Belo de. *Gente cansada de igreja*. São Paulo: Hagnos, 2010.

BITUN, Ricardo. *Mochileiros da fé*. São Paulo: Reflexão, 2011.

BOMILCAR, Nelson. *Os sem-igreja: Buscando caminhos de esperança na experiência comunitária*. São Paulo: Mundo Cristão, 2012.

BRABO, Paulo. *A bacia das almas: Confissões de um ex-dependente de igreja*. São Paulo: Mundo Cristão, 2009.

CAIRNS, Earle E. *O cristianismo através dos séculos: Uma história da Igreja cristã*. São Paulo: Vida Nova, 2008.

CALVINO, João. *As Institutas*. São Paulo: Cultura Cristã, 2006.

_____. *Efésios*. São Paulo: Paracletos, 1999.

CAMPOS, Idauro. *Desigrejados: Teoria, história e contradições do niilismo eclesiástico*. Rio de Janeiro: Contextualizar, 2016.

CÉSAR, Marília de Camargo. *Feridos em nome de Deus*. São Paulo: Mundo Cristão, 2009.

DEYOUNG, Kevin e KLUCK, Ted. *Por que amamos a igreja*. São Paulo: Mundo Cristão, 2010.

FITCHETT, William Henry. *Wesley e seu século: Um estudo de forças espirituais*. São Paulo: Imprensa Metodista, 1927.

GUEDES, Rivanildo. *Precisamos falar sobre pecado*. São Paulo: Mundo Cristão, 2018.

HAVLICEK, William. *Van Gogh's Untold Journey: Revelations of Faith, Family and Artistic Inspiration*. Holand: Creative Storytellers, 2010.

KIMBALL, Dan. *Eles gostam de Jesus, mas não da Igreja: Insights das gerações emergentes sobre a Igreja.* São Paulo: Vida, 2011.

LELIÉVRE, Mateo. *João Wesley: Sua vida e obra.* São Paulo: Vida, 1997.

LEWIS, C. S. *Cristianismo puro e simples.* São Paulo: Martins Fontes, 2005.

LLOYD-JONES, D. Martyn. *Pregação e pregadores.* São José dos Campos: Fiel, 2008.

LOPES, Augustus Nicodemus. *A supremacia e a suficiência de Cristo: A mensagem de Colossenses para a igreja de hoje.* São Paulo: Vida Nova, 2013.

_____. *Polêmicas na igreja: Doutrinas, práticas e movimentos que enfraquecem o cristianismo.* São Paulo: Mundo Cristão, 2015.

LUDOVICO, Osmar. *Inspiratio.* São Paulo: Mundo Cristão, 2017.

LUTERO, Martinho. *Da liberdade do cristão.* São Paulo: Unesp, 1997.

MANNING, Brennan. *O evangelho maltrapilho.* São Paulo: Mundo Cristão, 2005.

MANNING, Brennan; HANCOCK, Jim. *Falsos, metidos e impostores: Aonde foi parar seu verdadeiro eu?* São Paulo: Mundo Cristão, 2008.

MANSFIELD, Stephen. *Healing Your Church Hurt: What To Do When You Still Love God But Have Been Wounded by His People.* Carol Stream: Tyndale, 2010.

MATOS, Alderi Souza de. *A caminhada cristã na história: A Bíblia, a Igreja e a sociedade ontem e hoje.* Viçosa: Ultimato, 2005.

MOURA, Lisânias. *Cristão homoafetivo? Um olhar amoroso à luz da Bíblia.* São Paulo: Mundo Cristão, 2017.

NOWEN, Henri; CHRISTENSEN, Michael J.; LAIRD, Rebecca J. *Direção espiritual: Sabedoria para o caminho da fé.* Petrópolis: Vozes, 2007.

REFERÊNCIAS BIBLIOGRÁFICAS

ROMEIRO, Paulo. *Decepcionados com a graça: Esperanças e frustrações no Brasil neopentecostal*. São Paulo: Mundo Cristão, 2005.

SCHAFF, Philip. *History of the Christian Church*. Oak Harbor: Logos Research Systems, 1997.

SHEDD, Russell. "Precisamos de uma reforma". In: *Uma nova reforma: Após 500 anos, o que ainda precisa mudar?* São Paulo: Mundo Cristão, 2017.

SIMSON, Wolfgang. *Casas que transformam o mundo: Igreja nos lares*. Curitiba: Esperança, 2001.

STOTT, John. *A Mensagem de Atos*. São Paulo: ABU Editora, 2010.

TOLSTÓI, Liev. *Uma confissão*. São Paulo: Mundo Cristão, 2017.

VIOLA, Frank; BARNA, George. *Cristianismo pagão? Analisando as origens das práticas e tradições da Igreja*. São Paulo: Abba Press, 2008.

VOLF, Miroslav. *O fim da memória: Interrompendo o ciclo destrutivo das lembranças dolorosas*. São Paulo: Mundo Cristão, 2009.

YANCEY, Philip. *Alma sobrevivente: Sou cristão, apesar da Igreja*. São Paulo: Mundo Cristão, 2004.

_____. *Igreja: Por que me importar?* São Paulo: Vida Nova, 2008.

ZÁGARI, Maurício. *O fim do sofrimento*. São Paulo: Mundo Cristão, 2015.

_____. *Perdão total: Um livro para quem não se perdoa e para quem não consegue se perdoar*. São Paulo: Mundo Cristão, 2014

_____. *Perdão total no casamento: Um livro para quem deseja uma união duradoura e feliz*. São Paulo: Mundo Cristão, 2017.

Sobre o autor

Maurício Zágari é teólogo, escritor, editor, comentarista bíblico e jornalista. Recebeu os Prêmios Areté de "Autor Revelação do Ano" e de "Melhor Livro de Ficção" pelo livro *O enigma da Bíblia de Gutemberg* e de "Melhor Livro de Meditação, Oração e Comunhão" pelo livro *Confiança inabalável*.

É autor de dez livros já publicados, entre eles *Perdão total*, *O fim do sofrimento*, *Confiança inabalável* e *Perdão total no casamento*. Escreveu, com Daniel Faria, os estudos e comentários da *Bíblia de Estudo Na Jornada com Cristo*.

Escreve regularmente em seu *blog*, Apenas (apenas1.wordpress.com). Membro da Igreja Cristã Nova Vida em Copacabana (Rio de Janeiro, RJ), é casado com Alessandra e pai de Laura.

Obras do mesmo autor:
Perdão total
Perdão total no casamento
O fim do sofrimento
Confiança inabalável
Na jornada com Cristo
Bíblia de Estudo Na Jornada com Cristo (textos adicionais, com Daniel Faria)
O enigma da Bíblia de Gutenberg (série "As aventuras de Daniel)
Sete enigmas e um tesouro (série "As aventuras de Daniel")

Compartilhe suas impressões de leitura,
mencionando o título da obra, pelo e-mail
opiniao-do-leitor@mundocristao.com.br
ou por nossas redes sociais

Esta obra foi composta com tipografia Palatino
e impresso em papel Pólen Soft 70 g/m² na gráfica Assahi